매일, 보돌

매일, 보돌

발 행 | 2024년 06월 19일
저 자 | 최보윤
펴낸이 | 한건희
펴낸곳 | 주식회사 부크크
출판사등록 | 2014.07.15.(제2014-16호)
주 소 | 서울특별시 금천구 가산디지털1로 119 SK트윈타워 A동 305호
전 화 | 1670-8316
이메일 | info@bookk.co.kr

ISBN | 979-11-410-8997-9

www.bookk.co.kr

매일, 보돌

최보윤 지음

CONTENT

[내 인생의 여행들]

[번외편]

<시작하며>

언젠가 책을 쓰겠다며 허풍을 날리고 살아온 세월이 이십년은 된 것 같다. 이번 생애 책 한 권을 쓰지 않으면 죽어서 지옥 갈 것도 아닌데, 왜 집필 계획을 떠벌리며 다녔단 말인가. 교보문고에 가서 에세이 코너, 동네 도서관에 독립출판물 코너 책들을 보며 "아니. 야, 이건 나도 쓰겠다."라고 말했다. 하지만, 생각만 하고 자판은 두들기지 않았던 지난 세월. 최소 그 책을 낸 사람들은 결심하고 결과물을 만들어낸 존경할 만한 이들이다. 아무것도 하지 않으면서 남을 평가하는 것은 쉬운 일. 나도 쓸 수 있으면, 쓰면 되는 것 아닌가?

책 제목이 왜 [매일, 보돌]인가. 그것은 나, 최보윤보돌이 살아온 매일에 관한 이야기이기 때문이다. 아, 보돌이가 어디에서 나온 이름인가부터 설명해야겠구나. 국민 학생 시절 머리모양을 숏컷으로 잘랐는데, 그 모습이 남자아이 같아서 지어진 별명이다. '보'+남자아이의 별명인 '돌'=보돌. 온라인에서도 닉네임을 지을 때는 항상 '보돌'이라는 이름을 사용하고 있다. 보윤이는 수줍고 생각이 많고, 보돌이는 좀 더 재밌고 활기차고. 보윤이라는 본체와 온라인상에서 보돌이라는 부캐로 살아가면서 느낀 차이점이다.

참, 내가 태어났을 때 작명소에서 받아온 이름이 보윤 아니면 유리였다고 한다. 난 보윤이라는 이름을 좋아하는데 최유리라는 이름으로 살았으면 어땠을까 상상 해 봤다. 이름 따라 간다고 공주님처럼 자랐을까? 최유리로 살았을 내 인생이 궁금하기도 하지만, 보윤이라서 다행이야.

그래도, '블로그를 이십년 가까이 작성 해 왔으니 꾸준하게 글을 쓰는 버릇이 들었다.'고 생각했으나, 사진 아래 단순하게 캡션을 다는 것. ㅋㅋ 와 ㅎㅎ를 남발하며 가볍게 쓰던 블로그글 과는 달랐다. 잘 쓴 글이던 아니던 오롯이 자기의 생각을 A4 2~3장씩 채우는 것은 쉽지 않았다. 이것도 글을 쓰기 시작 한 다음에야 알게 된 사실. 글쓰기 강의나 책을 읽어도, 글을 잘 쓰는 방법은 무조건 많이 쓰는 것이라고 했다. 운동처럼, 글쓰기도 꾸준하게 해야 성장한다. 일주일에 가능하면 두 꼭지, 보통은 한 꼭지씩 글을 쓰려고 노력했다. 글은 허접해도, 마음가짐만은 완전 무라카미 하루키 아니냐면서.

자판에서 손가락이 저절로 움직여서 써지는 에피소드들도 있었고, 제목은 정했는데 머리를 쥐어짜도 써지지 않는 글도 있었다. 글 쓰는 사람도 나, 소재를 정한 것도 나인데, 차이가 난다는 것이 참 이상하기도 하지.

글쓰기가 막막한 날도, 무조건 꾸준하게 쓰라기에 썼다. 뭐라도 쓴 다음에 수정을 하면 그래도 한 꼭지 채울 수 있더군요. 원고료를 받는 것도 아니고, 블로그에 올려도 '좋아요'가 많이 눌리는 것도 아닌데 무엇을 위해 노력하는 것인가 회의도 들었다. 시키지도 않은 짓을 하고 있는 이유는, 결국 내가 '글 쓰는 것'을 좋아해서이다.

일반적으로 대학을 졸업하고, 취업해서, 결혼을 한 보통의 친구들과는 달리, 나는 이직도 자주하고, 오랜 기간 외국에서 살기도 했다.

나의 장점: 호기심이 많다.
나의 단점: 호기심이 너무 많다.

닥치는 대로 해결하며 살아온 경향이 있는 20-30대를 지나, 40대 초반에 (만 나이로 계산) 들어서니, 지나온 날들을 정리해야겠다고 생각했다. 중구난방 찍어온 점들을 이어서 선으로 만들고 싶어졌다.

마음은 항상 있었는데, 문득 작년 12월 31일 저녁에 에세이 목차 제목들이 떠올라서 아이폰 메모장에 적기 시작했다. 드디어 이십년간 기다려 왔던 영감이 내려온 날. '여행을 좋아하는 보돌', '보돌이 좋아하는 도시',

'외국어 공부와 보돌' 등등. 나에 대한 이야기로 책 한 권을 채우고 싶었다. 에세이라는 것이 이런 것 아니겠어요. 새로운 사람을 만날 때 지금까지 살아온 모습, 생각을 한 권의 책으로 정리해서 전해주면 좋을 것 같았다. 이런 나라도 괜찮겠습니까!? 아니면 말고.

생각 해 보면, 20대~30대는 항상 '이건 꼭 갖고 싶어.' '이건 꼭 해내고 싶어.'라는 마음이 컸다. 당연히 내가 원하는 대로 되는 일은 열 개 중에 하나라도 있으면 고마운 일. 마음대로 안 되는 일에 대한 불만을 버리기 위해 40대에 내가 새로 만든 신조는 '아니면 말고'. 양희은님의 '그러라 그래'에서 감명 받은 나. 뭔가 초월한 듯, 심드렁한 듯, 쿨한 단어를 찾아 헤매다가 발견한 것이 '아니면 말고'이다. 자매품으로는 '싫으면 말고'.

중간에 안 될까봐 무서워서 시작 자체를 안 하기보다는, '해보다가 아니면 말고. 될 일이면 될 테니까 우선 시작 해 보자.' 라는 마음으로 세팅 값을 바꿔보았다. '해야만 해!'가 아닌, '우선 해 보자!'로 살아가는 40대는 어떤 일들이 펼쳐질까. 재밌고 활기찬 인생이기를 바래본다.

[보돌에 관하여]

책과 나

올해는 부크크에서 '내돈내산'으로 책 한권 만들어보는 것을 목표로 세웠다. 단 한 권이라도 출판 할 수있다니 마음이 가벼운 걸. 딱 한 권 만들어서 나만 소장하는 일이 발생할지도 모르겠지만. 어느 날 생각했는데, 새로운 사람을 만났을 때, 내가 쓴 책 한 권 선물해 주면, 긴 설명이 필요 없을 것 같았다. 설명도 귀찮아하면서 누굴 만난다는 것인지는 모르겠지만. 호호. 하여간에, 옛날부터 한 권 써보고 싶었기는 했으니까 올해 상반기 목표로 삼았다. 후진했다가 또 전진하면 되니까 조금씩 해 보자.

일대기를 적으려면 우선 12년간의 일본 생활은 다른 한 권으로 빼야 할 것 같고, (08년 리먼 쇼크 때 건너가서, 20년 코로나 걸려서 귀국한 외국인 노동자의 대서사시) 아니 뭐 벌써 2탄 생각하고 있는 거야? 김칫국 마시기는 나의 주특기. 하여간에, 그럼 뭐부터 어떻게 써야하나 생각하다가. 아무리 생각해도 막막해서, 그냥 생각나는 대로 쓰기로 했다. 도서관 독립출판 코너에 있는 책들 보니까 그냥 쓴 책들 많더만. 어렵게 생각하니 손가락이 더 안 움직인다. 나도 막 그냥 막 생각나는 대로 적어봐야지.

언제부터 왜 책을 좋아했는가에 대해 생각 해 보았다. 우리 집은 아빠가 독서가였다. 책장에 책이 빼곡하게 있었던 기억. 그리고, 나랑 오빠 읽으라고, 어렸을 때 웅진에서 나왔던 누런색 전래동화 전집. 아니 지금 누런색이 표준어가 맞나 해서 네이버 찾아봤는데 영어로는 누런색이 straw color 지푸라기 색깔이라고 나오네. 누런색은 노란색도 아니고 황토색도 아니고 누리끼리하니까 지푸라기 색 맞는 것 같다. 재밌네. 삼천포로 자주 빠지는 것도 나의 두 번째 주특기

하여간에, 전래동화 전집이랑, 컬러풀한 디즈니 동화 전집이 같이 꽂혀있었다. 심심하면, 전래동화 책 펼쳐서 보다가, 디즈니 책 펼쳐서 보고. 남매가 해님 달님이 되는 전래동화 읽다가, 예민보스 공주가 이불 맨 아래 완두콩 때문에 배겨서 잠을 못 잤다는 디즈니 동화 읽고. 그렇게 놀았다. 웅진 전래동화는 카세트테이프도 있어서 뒹굴거리면서 들었지. 지금도 집에 있으면 팟캐스트나 유튜브 꼭 틀어놓는데 어렸을 때부터 뭔가 듣는 것을 좋아했구나.

이렇게 상반된 컬러의 동화책을 인상 깊게 읽었는지, 국민학교1학년때 미술시간에 장래희망을 그리랬는데, 동화작가라고 쓰고, 책상에 앉아서 글을 쓰고있는 모습을 그렸었다. 국민학교 입학 기념으로 선물 받은 호돌

이 크레파스 세트로 그렸지. 금색 호돌이 메달 모양 크레파스가 들어가 있었는데 말이죠. 왜 기억하냐면, 떨어트려서 교실 바닥 반대편까지 메달이 데굴데굴 굴러갔었거든요.

국딩이 장래희망에 동화작가를 쓰다니. 어려서부터 인세 받는 삶을 동경했던 것인가. 인세 받으면서 놀고먹는 것이 나의 오래된 꿈인데, 죽기 전에는 이룰 수 있기를 바래본다. 하여간에, 책에 관해서 제일 먼저 기억나는 건, 전래 동화와 디즈니 동화를 실시간으로 번갈아가며 읽었던 일이다. 그 뒤로는, 오빠가 둔촌1동 마을문고 가서 빌려온 무라카미 하루키 에세이집을 읽고, 일본 문화에 관심을 가졌다. 그때는 책 빌릴 때 도서카드에 다 수기로 적어줬었는데. 추억 돋네. 마을문고서 책 빌리고, 종합상가 지하에 떡볶이랑 야끼만두 사서 집에 오면 세상 행복했는데요.

중학교 때는 땐녀와 로맨스 소설에 빠져서 다락방의 꽃들부터 시작해서 매우 다양한 로맨스 소설을 독파했다. 둘이서 영어 회화를 다녔었는데 내가 영어 이름을 heaven (소설 주인공 이름) 이라고 해서 원어민 선생님이 눈이 튀어 나올라고 했던 기억이 난다. 닥종이 인형처럼 생긴 학생이 오더니, 자기 이름이 헤븐 이래. 오마이갓. 나의 뜬구름 잡는 이성관이 로맨스 소설 읽으면서 고착화 된 듯. 그 시간에 토지나 읽을 것이지 이것아.

고등학교 때는 패션잡지를 한 달에 5-6권씩 빌려서 읽었는데, 보그, 엘르, 하퍼스바자 등의 하이패션에서 에꼴, 쎄씨 이런 틴에이저 잡지까지 섭렵했다. 그러면서, 패션지 기자가 되기를 꿈꾸고, 의상학과를 가고, 잡지사 들어갔다가 그만두고. 뭐 그랬다는 말씀. 매달 잡지 앞쪽에 독자의 소리 코너에 내가 쓴 후기가 실렸는지 찾는 것이 꿀잼이었는디. 후기가 실리면 향수나 화장품을 선물로 줬는데 경품을 받으러 잡지사에 직접 가야했다. 디올 쟈도르 향수 받아서 케이스에서 꺼내자마자 뚜껑이 쏙 빠져서 병 채로 박살났던 기억부터, 선물 받으러 가곤 했던 코스모폴리탄 사무실에 어시스턴트로 출근했던 첫 날의 설레임 등등. 보그는 사무실로 가지 않고, 우편으로 보내줘서 나중에는 보그에 후기를 많이 썼었다. 희희.

대학교 때도 항상 학교 도서관에서 책을 빌려서 백팩에 한 권씩 넣고 다니면서 읽었다. 친구가 없어서 그런 것은 아니고...가 아니고 맞고요. 책 읽으면서 학생식당서 김밥 먹고, 샌드위치 먹고, 아니 뭐 먹은 얘기만 쓰고 있냐 책 얘기 하라니까. 도서관이 다행히 생활과학관 근처에 있어서 책 빌리기가 수월했다. 스마트폰이 없던 시절인데, 나는 활자중독이라 책 없이 대중교통을 이용하는 것을 싫어했다. 심심하단 말이야. [궁금한 것이 많아서 삼천포에도 잘 빠지고, 김치국도 잘 마시고, 심심한 것을 싫어해서 부산스럽게 군다.]는 나의 세 가지 특징을 이 글에서 찾아 볼 수 있겠다. 예? 안 궁금 하시다고요? 아. 예..

일본에 가서는 한국 책을 마음껏 읽을 수 없어서, 항상 갈증이 있었다. 이북은 나중에나 나왔단 말이지. 일본 책은 마스다 미리 에세이 같은 것은 술술 읽히는데, 추리 소설은 용어들이 어려워서 원서로 읽으면 헛갈렸다. 누가 누구를 어떻게 죽였다는 말이야. 대학생 때까지는 일본 소설을 많이 읽었는데, 요즘에는 거의 안 읽는다. 추리소설은 읽어도, 일본 특유의 감성 돋는 소설은 현실의 삶과 괴리가 커서 그런 것인가 소꿉장난 같아가지고. '놀고 있네, 놀고 있어.' 이러면서 읽는 비뚤어진 중년의 마음. 지금 사는 집은 새로 지은 도서관이 도보 5분 거리에 있어서 애용하고 있다. 나는 도서관이랑 공원만 가까워도 만족하고 살 것 같다. 오늘도 상호대차 신청한 책 들어왔다고 카톡이 왔으니 퇴근길에 가서 대여 해 와야지. 참고로, 오늘 빌려 올 책은 [퀏: 자주 그만두는 사람들은 어떻게 성공하는가] 이다. 나를 위한 책 아니냐. 희희.

요즘은 한국의 젊은 작가들의 소설이나, 영미권 형사물 시리즈, 뇌 과학이나 심리학 책 들을 대여해서 읽는다. 양자역학 책은 빌렸다가, 두 페이지 읽고 바로 반납했다. 이해가 안갑니다. 안갑니다요. 추리소설은 일본 책이 재밌긴 재밌지. 그래도, 애거서 크리스티랑 셜록 홈즈 만큼 재밌는 것은 또 없다. 애거서 크리스티의 [끝없는 밤] 추천 드려요. 다행히, 나는 책을 좋아해서, 할머니가 되어도 취미생활을 공짜로 즐길 수 있을 것 같아 미리 기쁘다. 시력만 짱짱하면 되겠다 이 말씀. 아니면 뭐 오디오북 들으면 되지. 내 나이 여든에는 옆구리에 냐옹이를 끼고, 커피 마시면서, 책 읽고 있는 귀여운 할머니이기를.

글쓰기 강좌

때는 21년 6월. 회사 생활에 찌들어서, 돌파구를 찾아 등록했던 글쓰기 강좌. 에세이를 쓰고 싶다는 생각은 했지만, 무엇을 어떻게 해야 할지 막막했던 기분을 극복하고 싶어서 등록했었다. 총 5회 수업이었는데 퇴근하고 도곡에서 서대문까지 가는 전철이 얼마나 붐비던지. 7호선만 지옥인가 했는데, 3호선도 만만치 않았다. 그래도 새로운 것을 배운다는 생각에 만원 전철도 나름 즐거웠던 추억. 5회 수업 중에 3회는 비가 왔었다. 심지어 첫 수업 일에 천둥번개에 폭우가 내려서 학생들이 물에 젖은 생쥐처럼 출석했다.

대전에서 강의를 듣기 위해 오시는 분도 있었다. 대전이 아니더라도, 경기도 전역에서, 학교 선생님들이 많이 오셨다고 했다. 작가님이 어디 교사 커뮤니티에 소문났냐고 농담을 하셨더랬지. 최민석 작가님의 에세이를 평소에도 좋아해서 신청했었다. 다른 수강생들도 대부분 작가님의 팬 같았다. 수업 마지막 날에 다들 야무지게 책에 싸인 들을 받아갔었거든요. 강의 내용도 충실하고, 입담도 책만큼 좋으셔서 만족했었다. 강의 마지막 날에, 책 끝내야 하니까 5분만 더 시간 달라고 나훈아 기자회견 흉내를 내셨는데, 그 장면이 얼마나 웃겼던지 2년이 지난 지금도 생각하면 웃기네요. 재치 쟁이 작가님. 요즘 MZ세대들은 나훈아 기자회견 5분 퍼포먼스를 모를라나. 괜찮다. 어차피, 글쓰기 강좌에 MZ는 몇 명 없어보였다.

5회 수업 듣고 기억에 남는 것이 나훈아 성대모사와 담당자분들이 마지막 날 주셨던 경기떡집 이티떡의 맛있음이라니. 이렇게 글을 마무리해서는 안 됩니다. 작가님께 누를 끼칠 수는 없습니다. 같은 취미를 가지고 있는 사람들과 한 공간에서 함께 했던 분위기도 좋았다. 서로가 쓴 글을 함께 읽으면서 공감하기도 하고, 나라면 저 주제로 어떻게 썼을까 생각 해 보기도 했다. 상상도 못한 방식으로 글을 전개 해 나가는 분들도 있어서 자극을 받기도 했다. 각자의 세계에서 각자 열심히 생각하고 글을 쓰고 있구나. 그래도, 배웠으면 뭔가 남은 것이 있을 것 아니냐. 최보돌아. 올해 목표를 내 돈 내산 책 출판으로 정하고, 예전에 강의를 듣고 메모해 뒀던 내용을 찾아보았다. 오. 그래도 내가 뭘 적어두긴 했구나.

1. 한글 파일 바탕체에 10포인트 줄간격 160%
2. 한 꼭지당 원고지 분량은 일정하게
3. A4 2장 혹은 0.5장 내외 오차
4. 20꼭지가 한 권 분량
5. 에세이는 목차를 정하고 작성하기 보다는 글을 작성

한 후에 키워드에 따라서 묶기
6. 출판사 투고 시에는 저자 소개, 기획안, 목차, 샘플 원고
7. 문장은 길게 쓰지 말고, 단문으로 간단하게

문장을 짧게 쓰라는 조언이 기억에 남아있다. 사전에서 찾아보면, 단문이란 [둘 이상의 절이 접속되지 않고 자기 안에 내포문을 갖지도 않는, 즉 동사를 하나만 갖는 문장] 이라고 한다. 형용사도 많이 쓰고, 콤마도 자주 쓰는 습관을 돌아 볼 수 있게 되었다. 역시 전문가는 다르시군요. '너무, 매우, 많이, 진짜' 안 쓰려고 노력하는데 안 쓰면 글이 안 써진다. 이론과 실전에는 이런 간극이 있군. '졸라, 짱나, 개짜증'을 안 쓰는 것만으로도 칭찬 해 주고 싶다. 희희.

20꼭지를 작성하면 bookk에서 한 권 만들 수 있다 이거지. 뭐 15꼭지면 어떠랴. 21꼭지여도 상관없지만. 또, 딴 얘기로 빠지지만, 유튜브에서 봤는데 사람들은 숫자가 0, 5, 10 이런 식으로 끝나는 것에 스트레스를 받는다고 한다. 13, 17 이런 식으로 일을 마무리해도 좋다고 한다. 그냥 생각나서 적어봤다. 내가 19꼭지로 책을 쓴다면, 1꼭지를 더 쓰는 것에 스트레스를 받아서 인 것이라고 생각 해 주십쇼. 하여간에! 우선 20꼭지를 기준으로 작업 해 보자. 2년 전에 수강료 내고 배운 보

람이 있네. 어떤 일정으로 작업해야 할지 (거창하다 아주) 기준도 세울 수 있고 말이야. 이티떡과 나훈아만 남은 것이 아니었습니다. 감사합니다 최민석 작가님. 글쓰기 수업에 작성했던 과제 하나를 첨부 하며 이번 글은 마무리하련다. 앞으로도, 배우고 싶은 것이 있으면 무조건 등록하고 보자. 앞으로 또 어떤 것 들을 배워갈까. 재밌을 것 같아.

[제목: 주말 밤의 단상]

지금은 토요일 자정이다. 월요일은 출근을 해야 하니, 에세이 클래스 과제를 작성하려면 오늘 밤과 일요일 밖에 시간이 없다. 하지만, 내일의 나는 조조로 '탑건 : 매버릭'도 봐야 하고, 운동도 가야하고, 쓱배송 받아서 냉장고 정리도 해야한다. 도서관서 빌려 놓은 '프로젝트 헤일메리'도 반 권은 읽어야 반납일에 맞출 수 있다. 동네 도서관 5월달 우수 회원인 나는 연체를 할 수 없다. 아무도 시키지 않았지만, 이것은 나와의 싸움. 주말 밤은 항상 시간이 아깝지만, 오늘은 유난히 해야 할 일이 많다. 솔직히 오늘 밤은 글을 쓰기 보다는, 그냥 읽고 싶다. 으아아.

작가님과 같은 최씨인 나는 C반이라 코멘트는 넷째 주에나 받을 수 있다. 작가님도 분명 과제에 부담 갖지 말라고 하셨다. 하지만, 나의 모범생 콤플렉스가 숙제 미제출을 견딜 수 없게 한다. 셀프로 왜 이렇게 고통을 받는가 생각 해 보았다. 나는 이 에세이 클래스를 왜 듣게 되었는가. 다른 수강생들과 마찬가지로 나는 최민석 작가님의 작품을 좋아하기 때문이다. '베를린 일기'는 아는 언니가 재미있다고 선물 해 줬던 책이었다. 당시의 나는 도쿄에서 살고 있었기 때문에, 한국어로 된 책이 항상 그립고 고팠다.

언니에게 책을 받았을 때 난 새로운 집으로 이사를 했고, 전기밥솥이 고장이 난 상태였다. 그래서, 집 앞 슈퍼에서 사온 1990엔짜리 냄비로 밥을 짓고 있었다. 그런데, 책에서 작가님이 베를린에서 찍어서 올린 냄비 밥 사진이 지금 내가 짓는 밥과 똑같이 생겼었다. 타국에서 냄비 밥 지어먹어 보지 않은 자는 인생을 논하지 말라. 사진을 본 순간부터 이 책에 친근감을 갖게 되었다. 새로 지은 냄비 밥을 떴다. 고추 참치 싹싹 비벼 먹으며, 한국어로 된 종이책을 맛있게 읽었던 추억이 있다.

그 후로, 몇 년 뒤, 나는 한국으로 귀국을 했고, 이북 리더기를 구입했다. 한국에서 한국어로 된 책을 읽는 건 편의점서 새우깡 사는 것만큼 손쉬워졌다. '베를린 일기'를 읽던 시절과는 상황이 달라졌다는 말씀이다.

이북을 열어 다운 받아 두었던 '40일간의 남미일주'를 읽기 시작했다. 아니 세상에. 냄비 밥을 지어먹으며 고독한 외국 생활을 하는 작가님이라고 동지의식을 가졌었는데! 어느새, 결혼도 하시고 아이까지! 하기사, 두 책이 4년이라는 시간을 두고 출판됐으니, 이상한 일은 아니지. 책을 읽기 시작하자, 작가님 특유의 발랄함과 개그감은 여전해서 안심을 했다.

책에서 '매번 자연이 좋다고 하지만, 어쩔 수 없이 나는 도시에 살아야겠구나' 라고 적힌 대목을 읽었다. 이때 나는 강릉 본가에서 일 년 동안 백수 생활을 하고 있었기에, 도시 생활에 목말라 있었다. 매일 경포바다를 보고 있는 것도 좋았다. 하지만, 주말이면, 지하철 타고 광화문 가서 미진 메밀국수 먹고, 교보문고 가서 책 한 권을 사고 싶었다. 마무리로는 교보문고 건너편 커피빈에서 얼음이 잘잘한 '아아메' 마시면서 책 읽는 것.

그때의 나에게 스며든 저 문장. 최민석 작가님은 나에게 '냄비 밥'과 '도시생활자' 이미지로 남게 되었다. 나도 뼛속까지 '시티 걸'이기 때문에, 바다보다는 빌딩이 좋아서, 다시 서울로 올라왔다. 그리고, 어느 날 글쓰기 강좌를 검색하다, 작가님 성함을 발견하고, 오늘 날에 이르렀다는 이야기이다. 이 강좌가 끝나고, 작가님을 생각하면 '비'라는 이미자 추가될 것 같다. 강의 있는 날마다 비가 너무 내리네요.

글쓰기 숙제가 셀프 고문이라고 생각했는데, 역시 글쓰기는 재밌다. 코멘트를 받는 넷째주가 오면 또 고통받겠지만, 오늘 밤은 재밌었다. 그러면 된 것 같다. 이제 자야지.

덕후의 일생

내 안의 덕후 유전자는 어디에서 온 것일까. 학창시절에 난 항상 덕질을 했었다. 내 첫사랑은 차인표 오빠. 중학교 1학년때, '사랑을 그대품안에'를 보고 한 눈에 반해버린 나. 그전에, '캔디 캔디'를 읽으면서 테리우스를 좋아하긴 했지만, 종이가 아닌 실물 남자 사람을 좋아한 것은 인표 오빠가 처음이야. 그땐 TV 가이드라고 매주 나오던 연예 잡지가 있었는데 그거 사서 사진 잘라서 베개 밑에 넣고 자고는 했다. 꿈에서라도 만날까 해서요. 오 마이 러브. 우리 인표오빠가 68년생. 내가 81년생. 나이 차이를 극복 못하고, 다음 남자와 사랑에 빠지게 되는데 그는 바로 키아누 리브스.

'스피드'라는 영화를 보고 또 폴 인 러브. 아니 근데 지금 찾아보니까 키아누는 64년생이네. 연상남을 좋아했구나 사춘기 보돌이. 키아누가 나온 '폭풍속으로' 라는 영화도 좋아해서 10번도 넘게 돌려보고, '스피드'는 아예 비디오테이프를 사서 맨날 돌려보고. 대여점가서 포스터도 얻어 와서 방에 붙여두고 난리. '스피드'가 히트를 쳐서, '리틀 부다'라는 키아누 리브스의 영화가 개봉을 했다. 선착순 100명인가 영화 포스터를 준다고 해서. 혼자서 종로에 있는 극장에 (시청에 호암아트홀이었던 것 같기도) 새벽같이 줄을 서서 받아왔었지. 줄 서있던 뒷모습이 찍혀서 스포츠 신문에 올라오기도 했었다. 이때 키아누 리브스 인기가 어마어마했거든요. 근데 포스터 사진이 부처님 분장을 한 키아누여서 그렇게 악착같이 받을 필요가 있었을까 싶기도 하다. 잘생긴 역할도 아니고, 부처님인데. 레어템에 집착하던 덕후 어린이.

그리고는 또 다른 헐리웃 신에 배우로 갈아타게 되는데 그는 바로 레오나르도 디카프리오. 레오는 진짜 심각하게 좋아해서, 만나면 결혼해야 되니까 영어공부에 매진했다. '토탈 이클립스'에서의 레오의 미모는 천상계였으니까요. 왜 대머리 아저씨랑 동성애를 하는지 이해가 안 갔다구요. 그러기에는, 너의 미모가 너무나 아름답다고요. 사랑은 나랑 하기로 했잖아. 오빠! 그리고, '바스켓볼 다이어리', '로미오와 줄리엣'. 이 시절 레오에게 완전 미쳐있었다. 심지어 '바스켓볼 다이어리'는 고등학생이 마약하는 내용이라 극장 개봉을 못 해가지고, 영화잡지 포스터만 얻어서 방에 붙여놓고 있었지. 자기 전에 오빠들 보고, 일어나서 또 오빠들 보고. 덕후의 하루. 하여간에, 현재의 레오의 모습은 할 말은 많지만, 말은 줄이겠다. 잭 니콜슨 닮았다고 말 안했어요. 안 했다구요. 25세 이하의 여자들만 만나는 것도 변태 같다고 말 안했어요. 안 했다구요.

장르가 헐리웃 배우에서 아이돌로 넘어가서 영국 보이밴드 테이크 댓에 빠져들었다. 심지어 그룹 해체하고 좋아하기 시작했음. Mtv에 나온 20분짜리 영상보고 또 비디오를 돌리고 돌려보다가, 비디오 플레이어가 뜨거워져서, 선풍기 틀어주면서 또 돌려봤다. 한 번 빠지면 백 번 보는 스타일. 멤버인 마크의 치골 주변에 돌고래 문신이 있었는데, Mtv 자막에서 국부에 문신이 있다고 적혀있었다. 국부가 어느 부위인지 모르던 나는, 영어 과외를 해주던 윗집 언니한테 "언니. 국부가 어디에요?"라고 물어봤다. 언니가 얼굴이 빨개지더니 허튼소리 말고 단어나 외우라고 등짝을 때렸다. 요즘 같으면 네이버에서 바로 쳐 봤을 텐데. 흠흠. 아니 왜 문신을 그런 엉뚱한 부위에 한 거야. 마크씨.

그룹을 해체하고 나서 좋아한 것이 억울해서, 2009년 런던에서 한 재결합 콘서트에 다녀오기도 했었다. 일본에서 어학원 다니던 시절인데, 아르바이트를 두 달 동안 하루도 안 쉬고 해서 모은 돈으로 다녀왔었다. 당시 학원비를 3개월에 한번 15만엔씩 내야했는데, 영국에 일주일 다녀오려면, 플러스로 15만엔 이상은 모아야 했다. 도가니가 어렸던 시절이라 가능했지요. 콘서트 티켓은 몇 달 전에 이미 사놓고, 갈까 말까 했었는데, 한 사건이 있어서 그냥 저지르기로 했다. 여행사 동호회에서 알고 지냈던 부산 사는 동생이, 출근길에 트럭이랑 사고가 나서 하루아침에 하늘나라로 갔던 것. 20대 중반의 어린 동생이었는데.. 인생이 허무해져서, 하고 싶은 일은 다 하자. 라며 런던 행 비행기 표를 10만엔 주고 예약했다. 고생해서 갔던 콘서트 자체도 좋았지만, 런던 웸블리 스태디엄에서 '아, 중학교 때의 나는 내가 여기에 올 수 있을 것이라고는 생각 못 했는데' 라며 감격했던 기억. 1년 뒤에는 '아, 내가 로또 1등이 될 것이라고는 생각 못 했는데'라며 뜨거운 눈물을 흘리고 싶다. 이번 주는 되나요. 제발요.

테이크 댓 이후로는 일본 쟈니스 아이돌과 라르크라는 락밴드를 좋아했는데, 이 부분은 너무 매니악한 이야기가 되니까 패스하도록 하겠다. 그들 덕분에 일본어 실력은 일취월장을 하게 되었으니 그것은 고마운 부분. 역시 언어를 익히려면 덕질 만한 것이 없느니. 요즘에는 덕질도 시들시들해서 뭐 언어 실력이 늘어날 계기가 없군요. 에버랜드 사는 판다 바오 가족 덕질만 하고 있는데 판다어를 배울수도 없고. 그래도, 판다들은 사고치는 일도 없고, 얼굴도 귀엽고, 행동도 순수한 것이 마음이 편안 해 지는 덕질이다. 푸바오야 사랑해.

2013년부터 좋아한 샤이니와 2015년부터 좋아한 조성진 이야기를 쓰면 얼추 분량이 맞겠다. 그 외에도 잔잔바리 덕질들이 있었지만, 이렇게나 길게 좋아한 것은 이들뿐인걸. 나는 빨리 질리는 스타일이라, 보통 1년 반 지나면 흥미를 잃는다. 그런데 샤이니와 조성진은 10년이 넘었다니. 나로서는 기록적인 덕질 기간이다.

일본에서 샤이니 콘서트를 제일 처음 갔던 것은 2013년 겨울. 나와 한국어 공부를 하던 일본인 학생이 "친구가 예매해서 남는 티켓이 있는데 혹시 구입해서 가겠냐"고 물어봤었다. 샤이니야 뭐 한국인들은 '링딩동'으로 다 알고 있었으니 재미삼아 은영이랑 콘서트에 가게 되었던 것. 생각보다 콘서트가 재밌어서, 2014년의 도쿄돔 데뷔 콘서트도 동일인에게 양도 받아서 또 가고, 그렇게 빠져들었링딩동링디기리리. 티켓을 양도해 주시던 분들은, 60대의 주부 분들이셨다. 내 한국어 학생의 친구가, 슈퍼쥬니어 콘서트 끝나고 갔던 라멘집 옆자리에 앉아서 덕질 얘기를 하다가 친해진 사이라고 했다. 나중에는 나와 은영이랑 일본인 주부 덕질 멤버 3인이 친해져서, 5명이서 콘서트를 같이 다녔다. 오사카 쿄세라돔 공연보고 뒷풀이로 먹었던 교자와 생맥주가 얼마나 맛있었던지. 샤이니 자체로도 좋았지만, 같이 즐길 사람들이 있어서 더 재밌었던 덕질의 추억.

콘서트가 끝나고는 집으로 바로 가지 않고, 꼭 은영이랑 생맥주나 진토닉에 카라아게를 먹었단 말이죠. 프론토라는 카페가 저녁에는 bar로 변신해서 애용했다. 한 잔씩 들이키면서 공연 소감을 나누던 시간들이 우리들이 스트레스 풀던 방법. 콘서트도 티켓이 1만엔 정도 했으니까 만만치 않았는데, 둘이서 외국 생활하면서 쌓인 스트레스 심리 상담료 내느니, 콘서트 보러가는 것이 더 싸다고 우스갯소리를 하고는 했다. 도쿄 콘서트도 가고, 한국에서 하면 또 한국도 가고, 가끔 오사카도 가고, 태민이가 솔로콘서트 하면 그것도 가고. 하다보면 3개월에 한 번씩은 콘서트에 갔었던 듯. 데뷔하고 몇 년이 지나도 매너리즘 없이 열심히 하는 샤이니들의 모습을 보면서, 도리어 우리가 응원 받는 기분이었다. (주저리 핑계가 길군요).

샤이니하면 종현이가 하늘나라 갔을 때 이야기를 빼놓을 수가 없는데, 이때 회사 동료부터 연락이 뜸했던 친구들까지 괜찮냐고 카톡과 라인 메시지가 왔었다. 아니, 내가 샤이니 팬인 것이 이렇게 전국구로 알려졌었단 말인가. 하고, 나중에 카톡 사진첩을 봤더니 누가 봐도 샤이니 팬이었음. 하여간, 그런 아픔을 이겨내고 지금도 열심히 활동하는 모습을 보면 응원과 사랑밖에 보낼 것이 없다. 샤이니는 춤도 노래도 좋아하지만, 덕후 친구들과 콘서트 보면서 쌓인 추억들이 많아서, 내 마음의 친정 같은 그룹. 그들은 나를 몰라도, 나는 영원히 사랑하리.

마지막으로 조성진 덕질 이야기를 하자면, 아 또 얘기가 길어지는데. 클래식 문외한이지만, 고등학교 때부터 류이치 사카모토는 좋아했었다. 피아노 연주 듣는 것을 좋아했다. 2015년 10월 한국인이 처음으로 쇼팽 콩쿨에서 우승했다는 뉴스 자료 화면으로 '영웅 폴로네이즈'를 치는 모습이 나왔는데, 그걸 보고 또 나는 폴 인 러브. 인간의 손가락이 저렇게 자유자재로 움직이면서 소리를 낼 수 있는 것인가. 도쿄 예술극장에서 열린 쇼팽 콩쿨 입상자들의 갈라쇼에 간 것이 내 덕질의 시작이었다. 그 뒤로 얼마나 많은 가산을 탕진했던가. 내 통장 눈 감아.

2017년 1월. 조성진의 나고야 리사이틀에 가기 위해 도쿄역에서 아침에 신칸센을 타야했다. 하지만, 늦잠을 자버린 것. 신칸센 티켓값만 1만엔인데! 머리도 안 감고 양치만 한 채로 도쿄역으로 달려갔지만, 5분 차이로 티켓을 날리게 된 나. 눈물을 흘리며 다음 차편을 예약하고, 나고야 도착해서는 찜질방에 가서 목욕재계를 했다. 노천탕 티비에서 추리 드라마를 틀어줘서 그거 결말까지 보느라고 1시간은 있었더니 인간 배추찜 될 뻔했던 추억. 산뜻하게 목욕하고 나와서 나고야의 명물 장어 덮밥도 먹고, 느긋하게 콘서트 홀로 갈 수 있었다. 그 날 연주는 언제나처럼 좋았지만, 지금까지 생각나는 것은 노천탕과 장어덮밥이다. 티켓값을 날린 것은 안타까웠지만, 즐거웠던 하루로 기억하고 있다. 도쿄에서는 산토리홀 로비에서 파는 커피를 좋아해서, 공연을 보면 꼭 커피를 마셨다. 도자기 잔에 나오는 진한 드립커피에 설탕이랑 크림을 넣고 스푼으로 휘휘. 연주를 들으러 가지 않는 날도 커피만 마시러 갈까 생각했다. 하지만, 연주회 직전이라는 설레임이 없으면 그 맛이 아니겠지 싶어서 포기했다. 덕질을 매개로 추억을 쌓는 것이 궁극적 목적인 것 같기도 하다.

드라마 '밀회'를 재밌게 봤었는데, 마지막에 유아인이 모차르트의 '론도 k.511'을 연주하면서 끝난다. 그 마지막 장면과 피아노 선율이 인상 깊게 남았었다. 그리고, 조성진이 낸 앨범에서 이 곡을 듣고 가슴이 찌잉-. 조성진 연주 중에는 역시나 쇼팽 곡을 좋아하긴 하지만, 음. 제일 좋아하는 연주 1개만 고르라고 하면, 론도를 고를 것 같다. 말로 설명은 어려우니 한 번씩 들어주세요. 뭔가 가슴속 깊이 절절해진다. 애절한 연애사라고는 1도 없는 인생이건만. 앞으로도 항상 무엇인가를 좋아하고, 즐거움을 찾으며 살고 있기를 바란다.

영어가 좋아

나는 외국어 공부하기를 좋아한다. 레오나르도 디카프리오를 만났을 때 영어 회화가 가능해야 결혼 할 것이라고 진심으로 믿었다. 어른이 돼서 어떻게 만나는 것인가가 문제지, 만나기만 하면 결혼이라고 생각했다. 그래서, 영어에 진심이었다. 국민학교 때 동네 보습학원에서 영어를 배우기는 했지만 딱히 기본기를 다지지 못한 채 시간은 흘러흘러 중1이 끝나고 중2로 올라가는 겨울 방학이었다. 당시, 방학 때 다이어트를 한다고 저녁 먹고 집 앞 놀이터에서 줄넘기를 하고 들어오는 것이 루틴이었다. 볼이 빨개져서 집에 들어왔는데 거실에 모르는 언니가 앉아있는 것이 아닌가. 엄마가 "윗집 사는 지현언니다. 이제 영어 가르쳐 주신대." 라고 소개 해 줬다.

당시 다니던 영어학원에서 아침식사를 쓰라고 했는데, breakfast가 얼추 기억은 났는지, blackfirst라고 썼었다. 영어 실력이 이 수준이었다는 말씀. 엄마도 더는 두고 볼 수 없었는지 학원을 끊고 과외를 받게 되었다. 자식 교육에 열혈인 분이 아니셨는데 무슨 일인가. 윗집 사는 아주머니랑 얘기하다가, 그 집 딸이 고대 영문과를 다니며, 지금 중등 교원 임용고시를 준비하고 있다는 것을 알게 되었다고 한다. 그러면, 우리 보돌이 영어 좀 가르쳐달라고 진행됐다는 말씀.

지현언니는 재밌으면서도 매우 엄격한 스승이셨다. 특히 무조건 단어를 많이 외어야 한다는 지론 하에, 30일 완성 단어집을 10회독은 시켰다. day1. 단어 20개 중에 단어시험 봐서 틀린 것은 형광펜으로 칠하고, day2. 단어 새로 외우면 day1 형광펜 쳤던 단어도 포함해서 테스트를 받았다. 새로운 단어 틀리면 덜 혼났는데, 틀렸던 것 또 틀리면 자로 손등을 맞았다. 단어뿐 아니라, 문제집도 양으로 밀어붙이는 스타일이라, 숙제 내주면 무조건 해가야 했다. 핑계도 변명도 필요없다. 언니가 공부를 했는데 틀릴 수는 있어도, 처음부터 뺀질거리는 태도는 봐 줄 수 없다고 했다. 방학 때 강릉 외갓집에 갈 때도 영어 문제집만은 싸들고 가서 숙제를 했다. 안 그랬다가는 죽음뿐.

중학교 2학년 시작부터 중학교 3학년 졸업까지 꼬박 2년 동안 같이 영어공부를 했었다. 언니가 임용시험 합격과 결혼을 하면서 일산으로 이사를 가서 과외는 끝나게 되었다. 무섭기도 했지만, 시험 끝나면 잠실에 데려가서 영화도 보여주고, 대학가에 있는 푹신한 소파가 있는 카페에 가서 파르페도 사주고. 사촌 언니처럼 친근해서 잘 따르며 열심히 공부했던 것 같다. 이후로는 영어는 항상 자신 있는 과목이 되었다. 언어를 처음 배울 때는 무조건 물량공세로 밀어 붙어야 한다는 것도 언니와 공부하며 체감했다고나 할까.

대학교 때는 시험 응모를 위해서 텝스 점수를 제출해야 할 일이 있었다. 기억에 800점이 넘어야 했는데, 텝스는 토익보다 어려워서 점수 올리기가 쉽지 않았다. 처음 시험 봤을 때가 700점대였다. 한 달 뒤에 시험을 보기 전까지 내가 한 일이라고는, 문제집을 풀면서 온스타일 채널을 하루에 5시간씩 봤던 것이다. 예전에 온스타일이라는 채널이 있었는데, 여기서 헐리웃 가십에서부터 미드 시리즈까지 하루 종일 줄줄이 영어만 들을 수 있었다. 마침 방학 때여서, 문제집 풀다가 지겨우면 쇼파에 누워서 온스타일만 봤다. '길모어걸스' 한창 재밌게 봤던 기억. 이때는 유튜브라는게 존재하지 않았다구요. 역설적으로 손쉽게 접하기가 어려워서 더 재밌게 봤던 것 같기도 하다. 방영시간 놓치면 재방송 시간 체크해서 티비 앞에 붙어 앉아있어야 했었다. 하여간, 그렇게 한 달 동안 영어 채널만 봤더니 텝스 점수가 100점이 뛰어서 800점대로 마무리 할 수 있었다. 텝스 점수가 필요했던 시험 자체는 결국 불합격 했지만, 이때 영어 점수를 올리면서 생각했던 것이 역시 물량공세. 중학교 때 지현언니가 단어를 외우라고 쏟아부었던 것이, 하루에 몇 시간씩 줄곧 미드를 시청 했던 것이 결국 효과를 보게 되었던 것이다. 어떤 공부든지 초반에는 이해하려고 하지 말고, 무조건 외우라고 하는 말이 정답이구만.

읽기랑 듣기는 뭐 어느 정도라고 해도, 쓰기와 말하기는 아직도 고전하고 있다. 일어는 한국어와 어순이 같으니까 문장 구성에 큰 어려움이 없다. 영어는 머릿속에서 문장을 만들려고 하는 순간부터 버퍼링이 걸리니까 이 과정 없이 스트레이트로 영작이 되도록 해야 한다는데. 이를 위해서는, 또 무작정 외워야한다고 유튜브의 많은 영어선생님들이 말씀하셨다. 작년에, 알바몬에서 한국어-영어-일어 통역을 한 달 동안 구하는 아르바이트를 발견. 면접을 갔었는데, 일어 면접이야 문제없었지만, 영어 면접에서 꽝이었다. 식은 땀 나도록 창피함을 느끼고 집에 돌아왔다. 그래, 내가 스피킹이 안 되는 것은 공부를 안했기 때문이다. 반성합니다. 영어도 잘하고, 일어도 잘하고, 한국어도 잘하는 것은 가능한 것일까. 일본어를 할 때는 머릿속의 회로가 일본어로 세팅이 되기 때문에 혼잣말도 일본어, 뇌 내 망상도 일본어로 하고는 했는데. 일본어 하다가 한국어로는 스위치가 쉬워도. 일본어 하다가 영어 하다가 이게 될라나 허참. 거참. 저는 공부를 안 해 봐서 모르겠고요. 똑똑한 사람들은 잘 하더군요.

호주 시드니에 3개월 거주 했을 때는, 한국인 쉐어 하우스에 살면서, 일본인 가게에서 알바를 했으므로 영어를 자주 쓸 기회가 없었다. 슈퍼에 가도 계산대도 키오스크여서 한마디도 안 해도 됐고요. 레스토랑에 간다고 해도, 손가락으로 메뉴판을 가르키며 this and this 만 연발하면 될 일. 영어 문화권에만 가면 영어실력이 늘 것이라고 생각 한 것은 나만의 착각이었던 걸로. 영미권에 있던, 한국에 있던 요즘에는 유튜브 보면서 공부하면 될 것 같다. 좋은 컨텐츠들이 진짜 많다. 일본에서 토익 공부 할 때도 유튜브에서 박혜원 선생님 강의 보면서 점수 땄었다. 영어 공부는 결국 나의 의지라는 결론이 나는군요. 의지는 어디에서 얼마에 파나요.

2년 전에 종로 YBM에서 설연의 선생님 수업을 들었던 시간도 즐거웠었다. 일을 쉬고 있을 때여서 정기적으로 어딘가에 나가야 할 것 같아서 등록했었다. 매주 화, 목 종로에 가면서 수업 전에 광화문 교보에 가서 책도 보고 FOURB에 가서 베이글도 먹고. 종각에 있는 오우야 에스프레소 바에 가서 커피 마시고, 영풍문고 무인양품 가서 신상품 체크하는 것도 큰 재미. 백수 시절에는 일상이 늘어지기 마련이라, 이런 루틴이 필요했다. 나는 강남은 별로 안 좋아하고, 광화문이나 안국 쪽을 좋아해서 일부러 종로 지점을 택했는데 좋은 선택이었다. 선생님 강의는 실생활에 쓰이는 표현을 반복적으로, 다양한 문장으로 활용하게 해 주셨다. 그리고 이렇게 외운 문장으로 프리토킹을 시키셨는데, 이 시간만 되면 또 꿀 먹은 벙어리. 이 울렁증을 어떻게 극복해야 할 것인가. 툭하고 치면 줄줄 나올 만큼 반복해서 외우라고 앞에서 말했잖아.

영어를 잘하고 싶은 마음은 항상 있지만, 업무적으로 사용하는 것도 아니고, 실력을 키울 큰 계기도 없는 것이 현재의 상태. 사촌언니인 지원언니는 형부가 주재원으로 미국에 갔을 때 현지에서 TESOL 자격증을 따서, 지금 제 2의 직업으로 영어 공부방을 운영하고 있다. 언니도 마흔이 훌쩍 넘어서 해 낸 일인데. 나도 앞으로 어떨지 모르지. 이름에 '지'가 들어가면 영어를 잘하나!? 지현언니. 지원언니. 또 다른 언니 이야기. 예전에 알고 지냈던 언니가, 해외 무역 일을 했는데, 언젠가 같이 식사를 할 때 외국 바이어에게서 전화가 왔었다. 나는 발음이 좀 더 좋아야 하고, 문장 구성이 완벽해야 스피킹을 자신 있게 할 수 있을 거라 생각했는데. 언니는 거리낌 없이 영어마저 경상도 사투리 톤으로 구수하게 대화를 나누는 것 아닌가. 언니의 모습을 보면서 충격을 받았다. '아. 그냥 하면 되는구나.' 박나래가 "비키니는 기세다."라고 했던 것처럼 역시 영어 회화도 기세다. 이렇게 고민 할 시간에 그냥 한 글자라도 더 외워보면 어떨까. 아까부터 같은 얘기 하는 것 같아서 이제 손가락이 민망해진다. 업무적으로 필요가 있던 없던, 치매 예방을 위해서라도 영어 공부는 평생의 숙제로 가지고 가보려고 한다. 왜냐면, 재밌잖아요.

나라는 사람을 설명 할 때 주요 키워드가 무엇일까 생각 해 봤다.

세 가지로 추려 보면 1. 여행 2. 외국어 공부 3. 책. 이정도가 아닐까 싶네. 남은 인생에서는 4. 재테크 5. 운동을 추가하고 싶다. 6. 고양이 7. 가족. 아니 가족이 7번에야 나오다니. 순위를 매기다가 가족이 7번에 나오는 것을 보고 지금 놀랐다. 내 무의식이 이렇구나. 현재 충격 받고 있는ing. 외국 생활이 길어져서 이렇게 된 것인가, 아니면 원래부터 개인주의자라 외국 생활이 길어졌던가. 닭이 먼저냐 달걀이 먼저냐. 갑자기 존재에 대한 의문이 생기기 시작한다.

아아. 오늘도 글의 마무리는 삼천포로 빠지는구나.

일본어 공부

엄마의 고향 친구인 남순이 이모는 일본인과 결혼을 해서 오사카에 살고 계셨다. 일 년에 한 번씩 서울에 와서는 우리 집에 며칠씩 머물고는 하셨다. 오빠한테는 뭐를 사다줬는지 기억이 안 나고, 나에게는 산리오 문구 용품이나 과자를 사다주셨다. 어렸을 때부터 귀엽고 예쁜 것을 좋아했던 나는, 나중에 커서 오사카 이모네 놀러 가면 귀여운 것들 한가득 사와야지라고 생각했었다. 둔촌동 종합상가에서 산리오 제품들을 팔기는 했었는데, 가격이 비싸서 어쩌다 한 번씩 헬로키티 연필이나 사오는 정도였다. 중학교 때는 학교에서 방과 후 수업에서 일본 사춘기 여학생의 일상을 주제로 한 애니메이션으로 일본어 공부를 했었다. 이때 히라가나는 외워서 뜻은 몰라도 읽을 수는 있는 수준이 되었다.

고등학교 때는 일본 가수와 드라마를 좋아했었다. 라떼는 말이야.. 일본 쇼프로나 드라마를 비디오테이프에 복사해서 파는 사람들이 있어서, 친구들이랑 돈 모아서 테이프 사서 돌려보고, 다시 다른 사람들한테 되팔았다. 천리안이나 나우누리 동호회에서 사고팔고 그랬다. 잡지는 교보문고 일본 서적 코너 가서 사오거나, 명동 중국 대사관 앞에 있던 화교들이 하던 가게에서 샀었다. 묘조 같은 연예 잡지가 엔화로 500엔인가 했는데,

한국서는 7000원 정도 했던 듯.

각자 좋아하는 멤버들이 다른 친구들끼리 한 권 사서 사진을 나눠 가졌다. 최애가 겹치지 않아서 다행이었지. 내가 좋아하는 A와 친구가 좋아하는 B가 양면에 겹쳐서 있을 때가 위기였는데, 서로 합의하에 잘나온 멤버 사진으로 가져가고는 했다. 시험 끝나고 명동 나가면 버거킹 가서 햄버거도 사먹고 (베이컨 더블 치즈버거를 제일 좋아했음. TMI), 즉석 떡볶이를 자주 먹었다. 중간고사 끝나고 친구 무리들과 이렇게 명동, 강남역 놀러 다니던 것이 소소한 추억. 강남역 뉴욕제과랑 타워레코드 기억나시는지. 이런 시절 이야기하자니, '응답하라 1994'야 뭐야. 아 세월이여.

대학생이 되어서는 워킹 홀리데이라는 비자가 있다는 것을 알게 되었다. 어렸을 때부터 외국에 가서 사는 것이 꿈이었다. IMF 전에는 학교에서 호주나 캐나다로 조기 유학을 가는 애들이 종종 있었다. 소시민의 딸들인 나와 친구들은 굳건히 한국 땅을 지켰지만, 중학생 조기 유학이 유행이던 시절이 있었다. 친척들이 이민 가있는 친구들은 좀 더 부담 없이 떠났다. 엄마한테 "나도 호주 보내줘." 했다가 등짝만 맞고 끝나기는 했지만, 언젠가 외국에 가서 살아보겠다는 야심은 가슴속에서 불타고 있었다. 대학생이 되었고, 이때도 휴학하고 호주나 캐나다에 1년 정도 어학연수를 가는 친구들이 있었다. 우리 집은 유학 보내 줄 형편까지는 안 되었지. 그럼 뭐가 있을까 하다가 찾게 된 것이 일본 워킹 홀리데이 비자였다. 뭐? 현지에서 아르바이트를 해서 살면 된다고? 오. 세상에 이런 비자가.

워킹 홀리데이 비자를 받아서 일본에 가기로 혼자 결정했다. 일본에 가서 아르바이트를 하려면 일본어를 잘 해야겠지!? 영어 공부도 YBM에서 했다고 했는데, 일본어도 YBM에서 기초반을 다녔다. 시사일본어나 파고다는 한 번도 안간 YBM 매니아. 이유는 모르겠지만 충성 고객이었다. YBM에 가서 기초반 2개월을 다니면서 문법을 배우고, 회화반을 2개월 다녔다. 외국어 공부하는 것은 원래 좋아했고, 점점 일본어가 이해가 되면서 드라마에서 모르던 표현들이 귀에 들리는 것이 재밌어졌다. 자막 없이 드라마를 봐야지, 무라카미 하루키 에세이를 원서로 읽어야지. 고등학교 때 우리 집에 놀러온 남순이 이모에게 일본 아이돌 그룹 가사를 내밀면서 무슨 뜻인지 알려달라고 했었다. 이모가 질린다는 표정으로 한 줄씩 번역 해 주셨다. 지금으로 치자면, 음... '아이브' 노래 가사 번역 해 달라는 미국 사는 조카를 바라보는 심정이랄까. 그 유치한 가사를 읽으면서 무슨 생각을 하셨을까. 내가 그 가사 뜻을 이해 할 수 있는 수준이 되자, 이모한테 참 못할 짓을 했구나 싶었다. 희희.

어느 날, 친구인 희진이가 자기 일본어 회화 다니는데 같이 가겠냐고 물어봤다. 한국인과 결혼한 일본 주부가 집에서 애기들만 보기 무료해서, 일본어 배우는 학생과 프리토킹 수업을 하신다고. 선생님도 전문적인 교육을 받으신 것이 아니고, 우리도 초급 수준이라 한국어 반, 일본어 반. 애기들 놀아주면서 한 번에 두 시간씩 일주일에 두 번씩 갔었다. 희진이는 학업이 바빠서 먼저 그만두고, 나는 그때 휴학 중이어서 6개월간 선생님과 공부했었다. 학원에서 다대일로 회화 수업을 했던 것과는 비교도 안 되게, 일대일로 공부하니 실력이 쑥쑥 늘었다, 암기로 영어를 외울 때와는 다르게, 일본어는 아이가 모국어를 배우듯이 자연스럽게 습득한 부분이 있었다.

그리고, 이때 일본어 실력이 한 단계 올라간 계기가 있었으니, 바로 애니메이션 오디오 CD 였다. 일본어 펜팔로 알게 된 오사카 사는 치하루 언니가, 내가 좋아하는 만화책의 오디오 CD를 2장을 선물 해 줬었다. 'kiss' 하고 '눈가리개의 나라'. 성우들이 만화의 장면들을 연기하는 구성이었다. 분량은 50분 정도. 대화 내용이 전부 이해는 안가지만 배경음처럼 계속 틀어놓고 있었다. 그러던 어느 날, 신기하게도 대사가 자연스럽게 이해가 되는 것 아닌가. 아이가 말을 배울 때처럼 귀가 트였다고나 할까. 공부를 할 때, 드라마 1-10회를 한 번씩 보는 것 보다, 1회를 열 번 보는 것이 더 효과가 있겠다고 느꼈다. 같은 내용을 반복해서 듣다보니, 자연스럽게 이해가 가는 신기한 경험이었다.

원어민 선생님과 일대일로 공부를 한 덕에 회화가 두렵지는 않은 상태에서, 도쿄로 일본 워킹홀리데이를 떠날 수 있었다. 24살에 도쿄에서 겪은 8개월간의 이야기는 다른 편에서 써보기로 하겠다. 한국으로 귀국을 한 뒤에는, 일본어를 잊지 않기 위해 또 YBM에 가서 가끔씩 회화 수업을 듣고, 일본 드라마나 쇼프로를 보았다. 이때쯤에는 다음 카페에서 일본 영상들을 10분씩 토막토막 올려주는 업로더들이 있어서 편히 볼 수 있었다. '1리터의 눈물' 이라는 드라마가 유명하던 시절이었다. 예전에 비디오테이프 복사하던 때에 비하면.. 라떼는 말이야...

28세에 다시 일본으로 갔을 때는, 받을 수 있는 비자가 어학원 비자 밖에 없었다. '내 실력에 어학원 레벨테스트정도야.' 라며 자신 있게 임했다. 상위 클래스로 배정되었는데, 복병은 한자였음을. 학원에서 일주일에 한 번씩 수업 후에 한자 시험을 봐야했다. 최저 점수를 넘어야만 귀가 할 수 있었는데, 맨날 문 닫고 나가는 학생 1. 회화나 독해 수업과는 달리 한자는 우직하게 외워야 하는데, 그렇지 못했던 학생 1. 그게 바로 나에요.

한국어를 알려드리며 친해진 이자와상, 유리상이라는 일본 분들이 있었는데, 그 중 이자와상이 나에게 했던 말이 있다. "보돌씨는 요령이 좋다고나 할까. 80%만 해도 어느 정도 성과가 나오니까 거기에서 만족하고 머무는 경향이 있어요." 이 이야기를 들었을 때는, '아니. 나에 대해 뭐를 안다고 그래요.' 라고 구시렁거렸다. 하지만, 이 아저씨는 나의 본질을 꿰뚫고 있었음을. 역시 나이는 헛먹는 것이 아니다. 어학원 수료하는 날까지, 선생님들께 "최상. 제발 한자 좀 외워요." 라고 잔소리를 듣고 끝났다. 대체적으로 성실하지만, 성실하지 않은 어떤 부분. 잠재력의 역치를 넘기기 위한 노력이 부족했던 젊은 날이었다. 뭐, 이런 모습도 나, 저런 모습도 나 아니겠는가. '한자를 외우는데 늦은 나이라는 없다. 지금이라도 외우자.'라고 쓰고는 또 안 외울 듯. 방통대 일문과에 들어가서 억지로 숙제라도 해야 되나 싶다.

일본에서 다녔던 회사는 몇몇 외국인 직원들 빼고는, 전부 일본인이었다. 회사 선배였던 케이코랑 6년간 하우스 메이트로 지냈으니 집에서도 일본어를 사용하는

환경이었다. 친하게 지냈던 히로미 선배도 일본인. 시드니에서는 실패했던 현지화 전략이 도쿄에서는 성공했다고 할 수 있을까. 하지만, 결국 매주 불금에 심양파와 한인 타운에서 삼겹살과 닭발을 먹는 것으로 한 주를 마무리 했었지. 일본 현지화 전략은 반만 성공한 것으로. 아니지. 반이나 성공했던 것으로, 긍정적으로 적어보겠다.

글쓰기 강좌에서 글의 마무리를 교훈적으로 하지 말라고 했는데, 자꾸 교장님 훈화말씀처럼 끝나네.
교훈도 병이다, 얘.

[외국인 근로자 보돌]

24살의 도쿄 워킹 홀리데이 1

일본 워킹 홀리데이 비자를 받은 다음, 03년에 1년간 휴학을 하고 도쿄로 가려고 했었다. 하지만, 학기 중 주말. 가락시장에 쭈꾸미를 사러 간 아빠가 집에 돌아왔는데, 걸음걸이도 이상하고 말도 어눌한 것이 아닌가. 엄마가 급하게 아산병원 응급실로 모시고 갔더니 가벼운 뇌경색이 왔다고 했다. 다행히 병원에 빨리 가서, 2주 정도만 입원하고 퇴원을 하셨다. 퇴원은 했지만, 집안 분위기는 뒤숭숭 했다. 학교는 곧 중간고사 시작이고, 내 워킹 홀리데이 비자는 03년 11월까지 일본에 가서 재입국 비자를 받아야만 연장되는 상황이었다. 아니면, 비자 발급으로부터 1년이 지나서 휴지 조각으로 끝. 내가 비자를 받을 때는 일본 워킹이 인기가 높아서, 경쟁률이 있는 편이였다. 호주는 신청만 하면 나왔지만, 일본은 신청서와 계획서를 일본어로 작성해야했다. 계획서 열심히 써서 받은 비자인데 휴지 조각으로 날릴 수는 없지. 도쿄에 가겠다고 쇼코 선생님이랑 일본어 회화 과외도 했단 말이야.

머리를 굴린 끝에, 당시 오사카에 거주 중이었던 지인의 집으로 전입신고를 하고, 몇 달 뒤에, 2학기 끝나면 도쿄로 가서 주소를 옮겨가기로 했다. 엄마 졸라서 항공권을 끊고, 학기 중에 2박 3일로 오사카로 떠났다.

마침, 그 기간에 전공 수업 시간 발표를 해야 했다. 교수님한테 비자 때문에 결석하는 건에 대해 횡설수설 설명 드렸는데, '너 대체 뭐라고 하는 거니?' 라는 얼굴의 물음표가 아직도 기억난다. 엄마한테도 혼나고, 교수님한테도 혼나고, 아빠는 아프고. 속상했던 23세의 나. 속상은 속상이고, 할 일은 할 일이지. 여차저차, 오사카에 도착해서, 무사히 전입신고를 했다. 지인 분이 같이 올 수는 없어서, 혼자 구청에 갔었다. 여행으로 일본에 온 적은 있지만, 구청에서 이런 실전 회화를 하다니. "나는 이사를 하러 일본에 왔스므니다." 거의 이 수준. 지금 생각하면 별 일도 아니지만, 그때는 구청 직원과 이야기하다가 심장이 입 밖으로 튀어나오는 줄 알았다. 볼 일을 마치고는, 지인을 만나서 커피 한 잔 하고, 부탁 받은 담배 한 보루 선물 드리고는 바로 다음 날 한국으로 귀국했다.

DAUM에 일본 워킹홀리데이 준비하는 사람들의 카페 모임이 있었다. 04년 3월에 같이 떠날 룸메이트 언니도 여기서 만나게 되었다. 3살 차이의 언니와는 같은 동네에 살고 있었다. 그래서, 도쿄로 가기 전에도 몇 번 만나서 밥도 먹고, 커피도 마시고 친하게 지냈다. 룸메 언니는 남자친구가 일본인이여서, 일본에 가는 것이었다. 나는 왜 가는 것인가? 20대 초반부터 일본에 가서 1년 살아보고 싶었다. 좋아하는 가수들 콘서트도 가고 싶고. 그런 어린 마음. 04년 3월 29일. 룸메 언니와 나는 도쿄에 도착했다. 이민 가방 돌돌 굴리며 가는데 어찌나 무겁던지, 나중에 보니, 이민 가방의 50%는 쓸모없는 물건이었다. 엉엉. 어디 아프리카 오지에 가는 것도 아닌데 뭘 그리 바리바리 싸들고 왔는지. 언니 남자친구가 공항까지 마중을 나와서, 나카노에 있는 쉐어하우스까지 길을 헤메지 않고 올 수 있었다. 이때는 스마트폰이 있나 뭐가 있나, 주소랑 출력한 지도 한 장만 들고 전봇대에 적힌 번지수 찾으면서 다녔단 말입니다.

JR 나카노역에서 도보 20분, 세이부신주쿠선 카미타카다역에서는 도보 7분 거리에 있던 쉐어하우스. 대만 출신의 여성 (하쿠상)이 1층, 뉴질랜드 출신의 영어 선생님 남성이 2층 (서양인 크리스), 인도네시아 화교 출신 부잣집 청년이 2층 (얘도 크리스였음. 부자 크리스). 그리고, 1층 현관문 바로 옆에, 오 마이 러브. 나의 안경군이 살고 있었다. (안경을 쓰고 있어서, 애칭으로 안경군이라고 나랑 언니가 불렀었다.) 안경군은 홍콩계 스코틀랜드인으로, 런던에 있는 글로벌 기업에 입사 합격을 받아두고는, 용돈도 벌 겸해서 일본에 영어 선생님으로 반년 정도 와 있었다. 가물가물한데 나보다 한 살 많았던가, 어렸던가. 그렇게 좋아했는데 이젠 기억도 안 나는구나.

제 이상형을 말씀드리자면, 곱게 자란, 상냥한, 똑똑한, 도련님 스타일이란 말이에요. 그런데, 바로 이 문간방의 안경군이 나의 이상형에 딱 들어맞는 것 아니냐고요. 그의 영어 이름은 윌리엄이었다. 같은 집 사람들은 다 '윌'이라고 불렀었다. 이름까지 귀족적이야. 우리 윌리엄 왕자님. 룸메 언니가 한국에서 '연금술사'라는 책을 가져왔었다. '무언가를 간절히 원하면 온 우주가 그것이 실현되도록 도와줄 것이다.'라고 쓰여 있었단 말입니다. 꿈과 희망을 심어준 '연금술사'. 그리고 결국은 실망을.

간절히 원하는 것은 안경군의 마음.. 마음을..!! 수치사할 것 같아서 더는 못 쓰겠다.

프라이버시를 중요시 여기는 외국인답지 않게, 컴퓨터가 없던 나와 룸메 언니를 위해 출근 할 때 방문을 잠그지 않고, 언제든지 자기 방에 가서 컴퓨터를 써도 좋다고 했다. so sweet. 하루는 그가 하우스 공용 인터넷이 너무 느리다고, 함께 나카노역 앞에 있는 인터넷 회사에 가서 이야기 해 줄 수 있냐고 물었다. 우리나라로 치면 KT 대리점 같이 가서 인터넷 회선 개설을 문의했던 것. 그는 일본어는 거의 못해서 나를 통역으로 데리고 갔었다. 문의를 하고, 돌아오는 길에 안경군이 고맙다면서 프레쉬니스 버거에서 햄버거를 사줬다. '아,

연금술사 열심히 읽은 보람이 있구만’ 은 나만의 망상이었고, 그냥 햄버거 사준 사람 1. 왜냐하면, 안경군은 언제부터인가 매주 금요일이면 롯본기 클럽에 갔다가 하나가 아닌 둘이 되어 집으로 귀가했기 때문이다. 토요일에 외출하려고 현관문 앞에 서면, 안경군 구두 옆에 하이힐이 놓여있고는 했었다. 간절하게 원하면 이루어진다면서요. 내가 언제 다른 여자 구두를 염원했냐고요. 이렇게 나의 짝사랑은 짜게 식어갔지만, 하우스 메이트로는 끝까지 나이스 했었기에 좋은 추억으로 남아있다. 그가 나보다 먼저 영국으로 귀국을 했는데, 귀국 마지막 날에 룸메 언니랑 셋이 사진도 찍었다. 예전에 강릉 집에서 그 사진을 다시 봤는데, 세상에 난 잠옷입고 사진 찍었더라고. 내가 안경군이어도 롯본기에서 하이힐 신은 여자 만나고 싶겠네. 옷이라도 갈아입고 찍을 것이지. 이것아.

나머지 하우스 메이트들은, 뉴질랜드 크리스는 조용하고, 분재가 취미인 영어선생님. 도시락으로 맨날 고야, 두부, 계란 볶음을 싸서 다녔던 기억. 공용 공간의 쓰레기통도 잘 비워주고, 나이스 가이였다. 크리스도 일본인 여친이 가끔 왔었는데, 현관의 그녀의 신발은 신경도 안 쓰였던 것 보면, 관심 있는 일이 아니면 보이지도 않는구나. 안경군 구두 옆의 하이힐은 외출하면서 앞코를 살짝 밟고 나가기도 했는데말이다. 희희. 화교 크리스는 인도네시아 부잣집 아들이었는데 미국에서 살다가 갑자기 일본에 와서 어학원에 다니고 있었다. '저거 저거, 미국에서 사고치고 도망 온 것 아니냐'며 나랑 언니는 추측하곤 했다. 우리 집에서는 몇 달 안 지내다가, 방을 얻어서 나갔다. 자꾸 집안에 신발 신고 다녀서 질색이었지만, 성격이 재밌고, 나랑 언니한테 맛있는 것을 사줘서 나름 잘 지냈다. 안경군과는 성격이 상극이라 둘이 영어로 대화가 됨에도 잘 어울리지는 않았다. 아니면, 나만 몰랐지 둘이서 같이 롯본기 클럽 다녔던 것 아니냐.

부엌 옆에 있는 방을 쓰던 대만 여성은, 성이 백씨여서, 일본어 발음으로 하쿠상이라고 불렀다. 대만식 중국요리를 가끔 해줘서 만두를 얻어먹고는 했다. 도쿄대 건축과 대학원을 다니고 있었는데, 어느 날 세미나에 구경 오겠냐고 물어보는 것이 아닌가. 나야 아르바이트 안 가는 날은 할 일 없으니까 '그럼 가 봅시다.' 하고 따라갔다. 아니 내가 건축과 세미나 가서 대체 할 게 뭐람. 도쿄대는 어떻게 생겼나 궁금해서 가 봤다. 강의실 뒷자리에 앉아있었더니 교수님이 "자네는 누구인가"라고 의문을 가졌다. 일본 나이로 22살. 지금 보다 더 닥종이 인형같이 생긴 얼굴로 앉아있었으니 어디 고등학생으로 보였을 듯. 하쿠상이 "하우스 메이트인데 견학 왔다."고 했더니 교수님도 그 뒤로는 별 말 안했다. 얼결에 들어간 세미나에서 두 시간 정도 토론 수업 듣다 나왔었다. 무슨 말인지 하나도 모르겠던 기억만은 아직도 생생하다. 그래도, 내가 도쿄대 건축과 수업을 언제 어디서 들어보겠냐.

학교 하니까 생각나는데, 안경군과 썸을 타던 일본 아가씨가 있었는데 (하쿠상이 주최한 하우스 파티에 놀러 왔다가 눈이 맞았지!) 집에 몇 번 놀러 와서 나와도 이야기를 나누게 되었다. 한국에서 왔다고 하니까, 자기가 소학교 기간제 선생님인데 견학을 오겠냐고 하는 거라. 학교 개방일이라는 이벤트가 있었던 모양. (나만 보면 학교 구경 시켜주고 싶어지나. 대학교에서 소학교까지.) 일본 소학교가 궁금하긴 해서 또 따라가 보았다. 시골도 아니고 도쿄도 나카노구에 있는 학교였는데 한 학년에 두 반 밖에 없었다. 한 반에 학생도 20명 정도였던가. 와. 일본의 고령화 사회와 인구 절벽을 이때 체감했는데, 요즘은 우리나라도 학급 수 엄청 적더라. 나 때는 한 학년에 16반까지 있었는데. 오전반, 오후반 수업 기억 하시나요? 가서 점심으로 일본 초딩들 급식도 같이 먹고, 수업하는 모습 뒤에서 구경도 하며 재밌는 하루를 보냈다. 나만 의식하는 사랑의 라이벌이었지만, 지금 생각하니 외국인 문화체험도 시켜준 착한 아가씨였구나 싶다.

나는 안경군과 페이스북 친구가 아니였고, 룸메 언니는 친구여서 종종 소식을 들을 수 있었다. 런던에서는 회사를 길게 안다니고 다시 일본으로 왔다고. 06년에 내가 도쿄에 놀러갔을 때 언니가 연락을 해서 셋이서 신주쿠 나카무라야에서 저녁을 먹었다. 언니는 워킹 홀리데이 비자 끝나고 바로 취업을 해서 도쿄에 계속 살고 있었다. 입고 나간 옷이 맘에 안 들어서 당일에 GAP에 가서 회색 스웨터까지 새로 사 입고 나갔다. 바로 입고 갈 것이라며, 탈의실에서 스태프한테 택을 잘라달라고 할 때 가슴이 두근두근. 한국 귀국 후 쌍커풀 튜닝도 했고, 잡지사 다니면서 한약 다이어트도 해서 나름 ver.2.0 으로 만났지만, 아무 일도 없이 옛날 얘기만 하다가 헤어졌다. 칫, 시시해라.

언니가 "보돌이 얼굴 달라진 것 같지 않아? 예뻐졌지?"하면서 짓궂게 나의 쌍밍 아웃을 하려했다. 안경군이 그 말을 듣고 쓰윽 나를 쳐다보는데, 이미 내 얼굴은 불타는 고구마. 집에 가는 길에 언니 팔뚝을 꼬집으며 응징했다. 나한테 꼬집혀 본 사람은 아는 공포의 팔뚝 꼬집기. 정말 아프거든요. 몇 년 뒤에 룸메 언니가, "오래간만에 페북을 봤더니 안경이도 아저씨 다됐더라. 결혼도 한 것 같던데. 사진 보여줄까?"라고 물어보기에 "추억은 추억으로 남기겠어."라며 거절했다. 아저씨가 된 안경군은 전혀 궁금하지 않다고요.

도쿄에서 만났던 나의 짝사랑은 이렇게 끝났다. 한동안 '연금술사'책 표지만 봐도 열이 받았었다. 간절했었는데요. 예!?! 언니가 하필 그 책을 가지고 일본에 왔던 것도 재밌는 에피소드. 우리 모두 청춘이었다.

24살의 워킹 홀리데이 2

초반 3개월 월세와 생활비는 준비해서 왔지만, 아르바이트를 어서 구해야 마음이 편해 질 것 같았다. 한국에서 아르바이트라고는 만화책 신간을 빨리 빌리고 싶어서, 만화 대여점에서 3개월 동안 해 본 것이 다였다. 한국도 아니고, 일본에서 프로 알바인으로 다시 태어나야 하는데 구직 전화 해 보는 것도 무서웠다.

내가 있던 당시는 워킹으로 간 친구들은 대략

1. 일본 유학 동호회에서 유학생이나 워홀러들이 귀국하면서 넘기는 일을 받아서 하는 것.
2. 타운워크 같은 구직 광고 잡지에서 정보를 보고 전화해서 문의하는 것.

일본어로 의사소통 하는 것도 아직은 어색한데, 전화 통화는 난이도가 높잖아요. 요즘 한국에서도 젊은이들이 전화 통화 하는 것 자체를 싫어한다는데, 사실 나도 싫어한다. 타운워크는 일본인들도 보는 잡지라서, 더욱 긴장되었다. 한 1개월 정도는 열심히 놀다가, 룸메 언니가 유학생이 넘긴 편의점에서 일을 시작했고, 나도 이제 슬슬 밥값을 해야 할 시간이 다가왔다. 핸드폰을 프리페이드폰으로 사서, 통화료가 비쌌기에 문의전화는 공중전화에 가서 했다. “모시모시(여보세요) 타운워크를 보고 전화했는데요.” 라고 말하면, 전화 너머에서는 침묵이 먼저 찾아왔다. ‘이 외국인은 뭐지’라는 뉘앙스로 빠르게 답변을 블라블라 해 주면, 반은 못 알아듣고 전화를 끊던 일이 다반사. 전화를 끊고 공중전화기 앞에 있던 회전 초밥 집에 빨려 들어가서 6접시 먹고 나왔던 날도 있었다. 눈물 젖은 게맛살 마요 군함말이와 연어와 광어 등등. 집에 걸어가는 길에 슬픔에 쓰러질까, 탄수화물 보충을 야무지게 했지.

일본에 오기 전에 쇼코 선생님이랑 ‘아르바이트 구직 문의 전화’ 시뮬레이션 공부까지 하고 왔는데, 선생님이랑 할 때와는 달리, 실전에서는 내가 예상한 대답을 상대방이 하지 않았습니다. 못됐어 정말. 열 번쯤 거절당한 이후로는 해탈해서, 잡지를 보다가 눈에 보이는 대로 전화를 걸고는 했다. 내 발음만 듣고 “공고 마감되었습니다.”하고 끊기기도 하고. 나카노역 ‘유니클로’에서는 일본어가 부족해서 채용 못하겠다고 대놓고 까이기도 하고, 타코야키 굴리는게 재밌어 보여서 역 앞 ‘긴다코’에도 지원 해 볼까 하다가 말았다. 덕분에 악감정 없이 단골로 남을 수 있었지. 요즘이야 한국, 일본 다 일손이 모자라서, 누구든지 환영이지만, 04년 도쿄에서는 지금보다는 외국인이 일을 구하기 힘들었던 것 같다.

그러던, 어느 날, 집에서 역으로 걸어가는 길에 있는 라멘 집에서 오전 10시~오후 3시까지 런치타임 아르바이트를 구한다고 공고가 붙었다. 기본은 라멘집인데, 저녁에는 이자카야로 변신하는 가게였다. 기대 없이 전화를 했는데, 점장으로 보이는 남자가 "오. 이름이 외국인이네. 집은 근처야? 그럼 오늘 런치 시간 끝나고 이력서 들고 와 봐." 라는 것 아닌가. 면접을 가니, 30대 초중반쯤으로 보이는 남자가 있었다. 체인점은 아니고 개인이 하는 라멘 가게로 오너 점장인 나카무라상. 알고 보니, 아버지가 재일교포 2세, 어머니는 일본인. 자기도 반은 3세라고 웃으면서 말했다. 그리고는, 다음 주부터 런치타임 담당으로 잘 부탁한다고 마무리. 동네라서 가기 편하고, 점심으로는 라멘도 준다고 하니 밥값도 굳고 좋다면서 출근을 했다.

인수인계는 하루 받았는데, 알려주신 분은 작은 체구의 전형적인 일본 미인 스타일이었다. 점장님이랑은 반말로 대화를 나누면서 친밀 해 보였는데 나중에 알고 보니, 점장님 부인이었다. 둘이서 이혼수속중이어서 런치타임에 일 할 사람을 대신 찾게 된 자리에 내가 들어가게 된 것. 아니, 이런 사연이 있을 줄이야. 이혼 스트레스 때문인지, 원래 성격인지, 나카무라상은 말을 거칠게 하는 경향이 있었다. 지금 생각하니 둘 다였던 것 같다.

일도 안 해봐서 낯선데 외국이기까지, 2주 정도는 울면서 다니다가, 차츰 익숙해져갔다. 라멘이 나오면 테이블까지 가지고 가야했는데 국물은 넘칠 듯 찰랑거리고, 그릇은 왜 이리 뜨거운지. 긴장한 손가락으로 열심히 날랐다. 완탕멘, 탄탄멘, 교자가 맛있어서 매일 점심으로 먹어도 안 질렸었다. 점심 스탭밀로 교자는 안 구워줬지만, 가끔 저녁 타임 알바로 들어가면 "최상, 오늘 교자 먹을래?" 하면서 만들어주고는 했다. 성격이 들쑥날쑥 하기는 했지만, 나중에 사회생활 하다 보니, 사장이나 팀장들은 대체로 다혈질이더라. 그러려니 하고, 귀국하기 직전 까지 이 가게에서 아르바이트를 했다.

시프트가 겹쳐서 가끔 같이 일을 했던 이이무레상은 댄서로 일하면서 아르바이트 2개를 하고 있었다. 저녁 타임에 일하던 20세 남자아이는 고등학교 때 방황하다가, 이제 맘 잡고 직원으로 일하고. 공무원 같이 얌전하게 생겼던 야마자키상은 대형 오토바이를 타고 도코로자와에서 나카노까지 출퇴근을 해서 놀라기도 했다(거리가 꽤 멀다). 이 분도 왕년에 과거가 화려했던 듯. 한국에서는 만날 일이 없었을 다양한 사람들과 일하면서, 이것이 '워킹과 홀리데이'로구나 라고 생각했다. 나카노 상점가에서 열리던 동네 마츠리에 다 같이 참가해서 공짜 맥주와 오이 절임을 실컷 먹었던 날도 기억난다.

라멘 육수를 내기 위해 항상 멸치 내장을 제거해야 했는데, 손님이 없을 때는 주로 이 작업을 했었다. 손이 빠른 내가 멸치의 달인으로 거듭나니, 동료들이 칭찬 해 줌 > 신나서 더 열심히 손질함의 쳇바퀴를 돌았다. 일시키기 참 쉽죠? 어느 날은 멸치를 까다가 화장실에 갔는데, 얼굴이 글리터 메이크업을 한 것처럼 반짝이고 있었다. 손 씻으면서 웃었던 그 순간이 아직도 기억난다. '한국에서는 나름 곱게 자랐는데, 여기서 멸치 비늘로 화장을 하고 있구나.' 그래도, 내가 번 돈으로 자립한 이 생활이 자랑스러웠다.

4월부터 11월까지 근 7개월 동안 비가 오나 눈이 오나 열심히 출근 한 나를 위해, 나카무라상이 귀국 전에 프렌치 레스토랑에 데리고 가준다는 것이 아닌가.

"예? 둘이요?"
"최상, 무슨 그런 소리를! 내 여자 친구랑 셋이 가는 거야. 으하하."

점장과 가는 것도 어색하지만, 일면식도 없는 새 여친이랑 셋이 밥을 먹는 것은 무슨 경우인지. 하지만, 공짜 프렌치라니 안 갈 수 없겠죠. 다카다노바바에 있는

'리가 로열 호텔'에 가서 런치 코스를 먹었다. 난 전생에 무슨 인연으로 점장 '전 부인'에서 '현 여친'까지 다 만나보게 되는 것인가. 다행히, 여친 분은 그와는 달리 사근사근한 성격이라 즐겁게 대화를 나눴다. 전 부인은 아담한 일본스타일 미인이었다면, 현 여친은 키가 큰 글래머 미인이었다. '아니, 이 아저씨는 무슨 능력으로 미녀들만 만나는 것이냐.' 후식 디저트 플레이트에 '그동안 수고했다'는 메시지를 부탁해서 적어 준 것을 보고는 조금 감동했었다. 츤데레라서 여자들이 꼬였나? 알 수도 없지만, 알고 싶지도 않던 그의 매력 포인트. 웨이터님이 폴라로이드로 우리 셋의 사진도 찍어줬는데, 부부와 사촌 여동생 정도로 보였을라나 싶다.

06년에 도쿄에 놀러갔을 때, 저녁시간에 그때 점장은 없고, 이이무레상이 있어서 오랜만에 대화를 나누고 완탕멘을 먹고 왔었다. 그리고는, 09년에 일본에 살 때 회사 일 때문에 나카노에 갔었다. 예전 가게 자리를 들러봤더니 다른 가게가 영업 중이었다. 추억의 한 페이지가 닫힌 것 같아서 섭섭했다. 그 집 교자랑 완탕멘 진짜 맛있었는데 말이다.

24살의 도쿄 워킹 홀리데이 3

라멘집 런치타임의 에이스로 다시 태어난 나. 예전의 내가 아니야. 무슨 일이든 시켜만 주십쇼. 주 5일 런치타임과 주말 저녁 타임에 가끔 일을 하기는 했지만, 생활비를 넉넉하게 쓰기에는 근무 시간이 짧았다. "흠~ 오후에 5시간정도, 주 2회만 더 일하면 좋겠는데" 라고 생각이 들어, 다음의 유학생 카페에서 하라주쿠에 있는 편의점 알바를 구하게 되었다. 다시 면접보고 전화하기 귀찮아서 편하게 가기로. 하라주쿠에서 시부야로 넘어가는 메이지도오리 근처에 있는 곳이었다. 이 지역은 땅값이 비싸, 편의점이 많지가 않아서, 장사가 잘 되는 지점이었다. 얼굴색이 파리한 일본인 오너 점장과 20%의 일본인, 80%의 한국인 유학생 알바들로 구성되어있었다. 나중에 알고 보니, 일은 바쁘고 시급은 낮아서 유학생들도 평균 1개월만 일하고 다들 그만두는 곳이었다. 나도 2개월 정도만 일했다.

여름에 일을 했는데, 비오는 날이면 우산 파느라고 영혼 가출. 우산을 사면, 봉지를 뜯어서, 택도 가위로 잘라서 손님한테 전해 줘야했다. 바빠 죽겠는데 우산 사는 사람 줄줄이 서있으면 안절부절. 날이 더운 날에는 소프트 아이스크림 사는 사람들이 많았는데, 기계에서 직접 아이스크림을 뽑아서 줘야했다. 마음이 급해서,

모양을 잘못 잡으면, 밑단부터 무너지기 시작했다. 망한 아이스크림을 쓰레기통에 버릴 때면 뒤에서 째려보던 점장의 눈빛에 뒤통수 뚫리는 줄. 비가 오나, 해가 뜨나 바쁘다 바빠. 소금 장수, 우산 장수 아들을 둔 어머니야 뭐야.

그래도, 한국인 언니들과 맘껏 수다 떨 수 있어서 좋았다. 같은 타임에 있는 언니들과 '일본엔 왜 왔니?' 부터, 점장 뒷다마에 (메인 이벤트), 편의점 신제품 과자 뭐가 맛있는지, 이따 휴식시간에 컵라면 뭐 먹을래?' 등등 이야기를 나눴다. 오후 5시~10시까시 시프트여서 중간에 20분 정도 휴식시간을 주면 샌드위치나, 컵라면 하나 후르륵 먹는 것이 보통이었다. 그리고, 이곳에서 나보다 3살 많은 연이언니를 만나게 되었다. 같이 시프트에 들어 간 건, 5-6번 밖에 없었는데, 첫날부터 쿵짝이 맞았던 우리들. 다른 언니까지 셋이 친해서, 다카다노바바에 있던 그 언니네 자취집 가서 떡볶이도 해 먹고 놀았다. 떡볶이에 단호박을 넣어서 해 줬던 것이 아직도 기억난다. 단호박과 떡볶이. 지금 생각해도 참 신기한 조합.

편의점 튀김 음식들은 몇 시간 지나면 폐기를 해야 했는데, 인기 템인 카라아게 꼬치가 남은 날은 운수 좋은 날. 연이 언니랑 한 꼬치씩 들고, JR 하라주쿠역 향

해 걸어가던 기억이 아련하다. 언니랑은, 지금까지도 인연이 이어져서, 일본에서 결혼하고 아이를 낳고, 딸이 고등학교 가는 것 까지 보는 사이가 되었다. 도쿄 살 때는 한 달에 한번 씩 만나서, 런치 타임을 즐겼는데 이제 거리가 멀어져서 아쉽다. 룸메 언니와도 아직까지 연락하고, 연이 언니도 그렇고, 주변에 좋은 언니들이 많아서 고맙다. 아는 오빠는 없지만, 아는 언니들은 많은 나. 언니 콜렉터. 언니 마니아. 언니 좋아라.

이 편의점에서 일하면서 저지른 최대 실수담. 편의점에서 택배도 보낼 수 있었는데, 인수인계 해주던 분이, “최상. 이름이 비슷하다고 해서 야마나시현과, 야마가타현을 절대 헛갈려서는 안 돼. 짐을 잘못 보내는 경우가 종종 있어.” 야마나시, 야마가타, 오케이!! 절대 안 헛갈리겠어요. 한국으로 치면, 전라도 광주광역시와 경기도 광주시를 착각하는 경우와 비슷하달까. 어느 날 저녁, 손님이 골프백을 골프장으로 미리 보낸다고 택배를 맡겼다. 손님은 야마나시로 보낸다고 했는데, 내가 시스템에서 야마가타로 입력을 해 버린 것. 일하는 날이 아닌데, 갑자기 점장한테서 전화가 와서 “최상!! 골프채를 야마가타로 보내면 어떻게 해!!” 라고 날벼락을 맞았다. 다행히, 손님이 날짜에 여유를 두고 짐을 보냈었기에, 야마나시로 골프백을 다시 보낼 수 있었다. 아직까지도 야마가타, 야마나시만 생각하면 골프백 택배

사건이 생각난다. 한때는 편의점에서도 빠른 손으로 인정을 받았었지만, 이 골프백 사건 이후로 점장의 신뢰를 잃고, 명성이 추락하였다. 친했던 언니들도 유학생카페 소문대로 1~2개월 지나니 다 그만 두기에, 나도 그만 뒀다. 런치 타임 라멘 가게에서도 여러 웃픈 에피소드 들이 있었지만, 그래도 정이 들었는데, 이 편의점은 아쉬움이 1도 없었다. 사람을 도구로만 썼다고나 할까. 연이 언니를 만나기 위해 이곳에 갔던 것으로 아름답게 마무리 해 본다.

동네 야키니쿠 가게에 아르바이트를 갔다가, 습관적으로 뒷짐을 지고. 잠깐 홀을 걸었더니, "최상, 선생님도 아니고 뒷짐을 지고 숙제 검사하는 사람처럼 걸어서는 안돼요."라고 문자를 받았던 일 > 하루만 가고 안 갔다. 가부키쵸(신주쿠의 환락가)가 어떤 곳인지 잘 모르고 편의점 면접을 갔다가, 계산대에 있는 직원들의 금발 머리에 놀라서 당황했던 일 > 내일부터 오랬는데, 동네도, 직원도, 손님도 무서워서 안 갔다.

04년 3월 29일에 시작해서 11월 8일에 끝났던 나의 첫 워킹 홀리데이. 서울에서 천방지축으로 살다가, 사회생활의 예고편을 보게 된 값진 시간이었다. 같은 집 안경군을 만나 짝사랑도 하고, 아르바이트 하면서 돈벌이의 고단함도 체험했지. 05년에 4학년으로 복학해서는 학교를 매우 열심히 다녔다. 공부가 제일 쉬웠어요. 젊었을 때 일 년 정도 외국에서 살아보는 것도 좋지 않을까. 엄마가 보내준 EMS 소포를 뜯으면서, 눈물의 김치볶음밥을 먹어봐야 어른이 된다 이 말씀. 그리고, 닥치면 뭐든지 다 하게 되더라. 스물에도 해 냈는데, 마흔에는 왜 못 해. 다 할 수 있다. 파이팅!

시드니에서의 3개월 1

11년에 일본에서 3.11 지진이 나고, 한국으로 귀국을 했다. 3.11 지진이라고 하면, 사람들이 기억을 잘 못해서, 후쿠시마 원전이 터졌던 지진이라고 하면 다들 "아~" 라고 하더라. 한 달 정도 한국에 있다가, 4월에 일본에 다시 들어가서 두 달 동안 회사 인수인계하고 집 정리하고 6월에 한국으로 완전 귀국을 했다. 지진이 났던 날에, 도쿄에 전철이 다 멈춰서 회사에서 하룻밤을 보내야 했다. 다들 바닥에 외투를 깔고 누워서 새우잠을 잤었다. 밤새 등으로 여진을 느끼면서 생각했다. '만약 이렇게 죽으면 뭐가 제일 후회될까' 도쿄 땅이 갈라진 것도 아니고, 지진으로 죽을 일은 없었지만, 그 날의 지진은 겪어 본 사람만 공감 갈 충격이었다. '역시 영미권가서 한 번 살아보고 싶다.'라는 생각이 문득 들었다.

한국에 귀국해서는 할 일 없이 백수생활을 즐기다가 (이때도 엄마가 운전면허 따라고 잔소리 했는데, 따 놓을 것을. 금쪽이 같은 나.) 호주 워킹 홀리데이 비자를 받고, 그 해 12월에 시드니로 떠났다. 한 일주일 정도는 더 록스 쪽의 호스텔을 예약해서 지냈다. 2-3일은 빵만 먹다가, 하루는 숙소 옆 슈퍼에서 육개장 사발면이 팔길래 사와서, 라운지에서 끓여먹었다. 얼마나 맛있던지. 한국인은 국물이여!! 엄친 딸인 연진언니가 결혼해서 시드니에 살고 있었다. 엄친께서 엄친 따님께 미리 연락을 해 주셔서, 시내 백화점에서 만났다. 언니가 시내의 한인슈퍼도 알려주고 맛있는 점심도 사주고, 앞으로 자주 연락하라면서 등을 두드려주고 떠났다. 혼자 호스텔에서 외로웠는데 아는 사람을 만나니 마음이 든든해 졌다. 일본도 해외였지만, 호주는 기분이 또 다르더라. 그 뒤로도 언니는 와규로 끓였다는 미역국, 소고기 고추장 등등. 반찬을 만들어 줬었다. 지금 생각해도 고맙습니다.

국딩 시절, 연진언니가 아줌마랑 우리 집 놀러왔을 때 '머랭 쿠키'를 사 왔었다. 태어나서 처음 보는 쿠키였는데 (김영삼 정부 시절이었음을 감안) 언니가 상냥하게 "이건 계란 흰자로 만든 쿠키야." 라고 설명 해 줬다. 슈퍼에서 버터링 쿠키나 먹어봤지, 이런 공기 같이 신기한 쿠키가 다 있나. 어려서 몇 번 만난 적은 없지만, 나에게 언니는 이런 세련된 이미지. 시드니에서 봤을 때도, 언니가 당시 유행하던 지방시 판도라 백을 들고 나왔었다. 그리고, 한 4년 뒤에 도쿄에 언니가 놀러 왔을 때 이틀 동안 가이드를 했는데, 커피 마시면서 "언니는 나한테 머랭 쿠키랑, 지방시 판도라야"라고 했더니, 언니가 메고 온 에코백을 흔들면서 "보돌아. 지금 애가 둘이 되니까 이 가방이 최고다. 멋 부리는 것도 다 한때다. 멋쟁이로 봐 줬다니 고맙네." 하면서 웃었다. 언니가 멋있다고 생각했던 건 비싼 가방도 무엇도 아닌, 상냥하고 현실에 충실한 모습이었구나.

하루는 아는 동생의 사촌오빠가 시드니 시내에서 쉐어하우스를 운영하고 있다고 해서 그 집에 견학을 갔다. 그리고, 집을 보여준 동생이 지금까지 친하게 지내는 혜정이. 4인 1실과 거실 한쪽을 막아 사용하는 1인실의 구조였는데, 혜정이는 1인실, 나는 4인실의 한 침대를 계약해서 지냈다. 처음 만나서부터 마음이 통한 우리는, 매일 밤, 귀가 후 거실에서 맥심 커피를 타 마시며 우정을 쌓았다. 맛과 멋을 좋아하는 우리들. 서울에서도 둘만의 미식 동호회를 운영하며 재밌게 지내고 있다. '와. 나도 이제 시드니에서 밥 먹을 친구 생겼다.' 집 근처 울월스 슈퍼에 장 보러 갔다가, 글로리아 진스 가서 커피 마시던 저녁 시간들이 생각난다. 둘 다 해피 쉐프의 해물 국수랑 락사를 좋아해서 자주 먹으러 갔었지. 월드타워 지하 콜스 슈퍼 갔다가, 아시안 슈퍼 갔다가, 헝그리 잭 가서 50센트 소프트 아이스크림 먹으면서 걸어오던 길. 12월 31일 불꽃놀이를 다리 위에서 같이 보던 일. 시드니에서는 재밌는 일이 별로 없었다고 생각 했는데 적다보니까, 잘 놀고 다녔구나.

숙소는 해결이 되었고, 이제 일을 구해야지. 영어가

현지 가게에서 일 할 정도는 안 되었으니, 호주나라라는 한인 사이트에서 공고를 찾았다. 12년에 내가 있을 때는, 스시 가게들은 거의 한국 사람들이 하고 있었다. 지금도 그럴라나? 테이크아웃 스시를 판매하는 가게에서 첫 아르바이트를 시작했다. 첫 날은 본점에서 롤 마는 법을 배우고, 둘째 날부터 본격적으로 도시락을 혼자 만들어야 했는데, 캘리포니아 롤 말아둔 건 자르다가 옆구리 팡팡 터지고, 미치고 팔짝 뛰면서 마무리를 했다. 그래도, 삼일정도 지나니 익숙해 져서 군함 말이 스시에 옥수수 샐러드도 찹찹 얹고, 누드 김밥도 잘 말게 되었다. 아보카도가 안 으깨지고, 썰었을 때 연어의 단면이 예쁘게 보이는 것이 관건이었다. 재료들이 물렁물렁 해서 단단하게 말기 위해 노력했다.

서양인들은 김의 식감을 싫어해서 누드 김밥으로 마는 경우가 많다고 했는데, 김이 보이냐 마냐 차이지 맛은 같은 것 아닌가? 하기사, 밥이 먼저 씹히면 식감이 부드럽기는 하다. 스시 도시락을 사면서 에다마메(풋콩)를 샐러드처럼 많이 사가던 것도 특이했다. 일본에서는 술안주로 잘 먹었는데, 여기는 이렇게 먹는구나. 미역줄기 초절임도 많이 사갔다. 미역줄기는 참기름에 달달 볶은 것이 제 맛인데!! 키가 190은 될 것 같은 남성이 미니 스시롤 2개에 에다마메 한 팩 사가는 것을 보며, '양인들은 에너지 효율이 정말 좋구만.' 라고 중얼거렸다. 저거 먹고 배 안고프나. 이 가게에서는 한 달 정도 일했다. 왜냐면, 로즈 베이라는 부촌 동네에 시급이 1.5배에 팁 까지 가져 갈 수 있는 일본 레스토랑을 찾게 되었기 때문.

갈 때는 버스를 타고 한 번에 가고, 가게 영업이 끝날 때는 본다이정션까지 매니저가 태워주면, 거기서 열차를 타고 왔다. 시내에서만 뱅글뱅글 돌다가, 일 하는 날에는 버스를 타고 교외로 나가니 기분 전환이 되었다. 이 레스토랑에서는 테이블 서빙을 하게 되었다. 캐쥬얼 한 분위기의 일식집이어서, 동네 사람들이 가볍게 저녁 먹으러 오는 느낌이었다. 올 때 마다 팁이 후하던 중년의 부부와 (아주머니 검정 숏 헤어에 안경 끼고 계시던 모습이 아직도 기억남), 미드 여주인공 같이 생긴 20대 금발머리 단골손님이 있었다. 주문 할 때 말투도 얼마나 스윗 한지. 내가 남자라도 사랑에 빠질 것 같은 여성이었다. 아. 팁도 잘 줬다. 그래서, 좋게 기억하나봐. 희희. '세상엔 저렇게 예쁘게 생겨서, 시드니 부촌에서 살면서, 잘생긴 남친이랑 데이트 하는 인생도 있구나.' 질투는 아니고, 그냥 저런 사람도 있구나. 순수하게 부러웠던 감정. 알바 생들은 일본인이 대다수였고, 한국인들은 두 명 정도. 케이코라는 이름의 아오모리에서 온 친구랑 친해져서, 한가한 시간에 수다를 자주 떨었다. 키친에서 일하는 키이군이라고 재일교포 3

세 남자애랑 셋이서 친했다. 재일교포라고 해도, 일본에서 자라서 한국어는 거의 못했지만, 그래도 정이 갔다. 케이코도, 이름이 같아서 도쿄의 우리 케이코 생각나고.

여기는 알바 시작 전에 식사를 주는 것이 아니고, 퇴근 할 때 도시락을 만들어서 포장 해 줬다. 키친 마감 전에 원하는 메뉴들과 밥을 테이크아웃 통에 포장 해 주면, 다음 날 점심으로 먹었다. 보통 카라아게, 돈까스 뭐 이런 것에 샐러드 종류. 포장하면서, 그날 팁 박스에 들어있는 금액을 인원수대로 나눠서 가졌다. 가게 문 닫고 10분 정도 테이블에 앉아서 수다 떨면서 팁 정리하고 오늘은 도시락 반찬 뭐냐고 키이군을 재촉하던 시간들이 기억난다. 해당 일과 인원수에 따라서 1인당 나눠가지는 팁 금액이 달라져서, 나름 스릴 있던 시간. 테이크아웃 스시 집과는 다른 재미가 있었다.

하루는, 파칭코의 나라에서 온 사람들답게, 키이군과 몇몇이 시드니 '더 스타 카지노'에 갈 건데, 같이 가겠냐고 물어봤다. 가면 음료수도 공짜고, 재미로 20-30달러만 하면 된다고. 카지노는 예전에 마카오에서 한 번 가본 것이 다라서, 콜콜 하고 따라 나섰다. 가게 닫고 갔으니, 밤 11시쯤 도착했나. 50달러가 130달러가 됐다가, 90달러로 내려앉았을 때 우선 스톱. 두 시간 정도 지나고, 키이군은 400달러 땄다면서 이미 현금화 완료. 로즈베이 동료 팀은 택시타고 다 같이 간다고 먼저 가버렸다. 어차피, 시티에 사는 건 나밖에 없어서, 남은 90달러로 룰렛 게임에 새로운 승부수를 던졌다. 10분만에 다 날리고, 혼자 택시타고 집에 왔다. 택시비 15달러가 뼈아팠던 밤. 130달러 땄을 때 얌전히 현금으로 바꿀 것을 그랬다. 카지노는 한 번 경험 한 것으로 만족하고, 다시 조신하게 살았다. 역시 나는 자그마한 심장을 가진 여자. 승부수는 나랑 맞지 않는 단어였다.

시드니에서의 3개월 2

외국에서 생활을 해 봤으니, 새로운 나라에서 적응도 쉬울 것이라 생각했다. 하지만, 나라마다 궁합이라는 것이 있는지, 시드니에서는 마음을 잡기가 어려웠다. 그리고, 이때가 한국에 있는 친구들은 한창 결혼하는 준비하는 나이여서, 카톡으로 스드메, 신혼집 이야기들을 했다. '애들은 인생의 다음 스텝으로 넘어가는데 지금 여기서 무엇을 하는 걸까.' 라는 생각이 머리를 떠나지 않았다. 워홀 막차였기에, 내가 너무 늦게 왔나 싶었다. 비슷한 나이에 내 친구의 친구는 오자마자 쉐어 하우스에서 남친을 만나서, 결혼 한 후 지금까지 호주에 살고 있다고 한다. 역시, 나라와 궁합의 문제야. 자연 풍경보다는 서울이나 도쿄 같은 메가시티를 사랑했다는 것을 알게 된 me. 자연은 대도시의 공원으로 충분했음을 알게 된 me.

아는 사람들을 만들기 위해, 교회라도 나가볼까 하다가, 불교 집안에서 자란 터라 크게 내키지도 않고... 재미있는 일이 없을까 고민했다. 우선 시드니 주변을 돌아보기로 했다. my multi pass 라는 교통권을 구입해서, 맨리 비치, 셸리 비치, 본다이 비치, 블루마운틴 등등을 돌아봤다. 페리를 타고 시티로 돌아올 때 서큘러키의 선착장이 보이면, 나도 모르게 집에 돌아온 기분.

구시렁거리면서도 정이 들기는 들었나보지? 아르바이트가 없는 날에는 낮에 해변가 한 바퀴 돌고, 혜정이랑 내가 좋아하던 SAAP THAI에서 팟씨유를 먹으면 제법 괜찮은 하루였다.

이렇게 저렇게 지내고 있었는데, 어느 날 한국과 일본에서 2가지 제안이 들어왔다.

1. 친구네 회사에서 취업 제안
2. 일본에서 원래 다니던 회사에서 복직 제안.

호주에서 30대 알바몬으로 살면서 회사원 시절이 그리워지고 있었기에, '이게 웬 떡이냐' 하면서 어디로 갈까 고민했다. 심지어, 케이블 티비 방송국에 다니는 친구는 이번에 다이어트 프로그램 만드는데 출연하겠냐고 연락이 왔다. 무료로 몇백만원 상당 코스로 관리받을 수 있는 절호의 찬스라고 했다. 얼굴 팔리는 건 잠깐이고, 어차피 케이블 방송이라 시청자도 별로 없다고. 매우 솔깃한 제안이었지만, 신상 공개가 쑥스러워서 포기. 도쿄의 회사에서는 내 후임으로 한국인 직원이 있는데, 일이 늘어서 혼자 커버하기 벅차한다고 했다. 그래서, 혹시 최상이 도쿄로 돌아올 생각이 있냐고. '흠. 어쩌지. 일도 익숙하니까 다시 간다고 할까?' 한국의 친구네 회사에서는 일본으로 사업을 확장하면서 필요한 포지션이 있으니, 생각 있으면 이력서를 달라고 했다.

결국, 먼저 일본의 회사에 돌아가겠다고 연락을 했다. 전 하우스 메이트이자, 직장 선배였던 케이코를 통해서 연락이 왔었기에, 회신을 하고, 며칠을 기다렸는데, 윗선에서 인원 충원하기에는 11년 지진 후에, 한국인 수요가 늘지 않았다고 판단했다고 했다. 아. 뭐야 그럴 거면 나한테 왜 물어봐!! 김치국만 마셨네!! 중간에 낀 케이코만 미안하다고 사과했다. 그럼 도쿄는 패스. 사요나라. 바이바이. 바로, 한국에 있는 친구에게 이력서를 보냈다. 이틀 뒤에, 긍정적으로 검토했고, 서울에 오면 면접을 보자고 연락 받았다. 이 시점이 시드니에 온 지 3개월째였다. '그래, 보돌아. 너도 하고 싶은 일 다 해봤으니까, 돌아가서 직장 다니면서 조신하게 저축하다 시집이나 가자. 친구들도 지금 다 결혼하잖아!!' 라고 적고, 지금까지 미혼인 미스 최.

점심시간에 뭐 먹을지를 고민하는 회사원의 삶으로 돌아가기로 결정하고, 제일 먼저 같은 집에 사는 혜정에게 알렸다. 섭섭해 했지만, 그 동안 방황하던 내 모습을 봐 왔기에, 언니의 새로운 출발을 응원한다고 말해줬다. 엄친 딸인 연진언니에게도 연락했다. 언니도 "그래. 새로운 경험도 해 봤고, 이제 한국에서 자리 잡고 좋은 사람 만나기를 바란다."며, 달링하버의 허리케인 그릴에 가서 마지막으로 식사를 사줬다. 이때 언니가 첫째 임신 중이었는데, 지금은 세 아이의 어머니. 세월 참 빠르고요. 로즈 베이 일식집도 귀국 열흘 전에 그만뒀다. 송별회로 친하게 지냈던 케이코와 시티의 홍콩식 딤섬집에 가서 하가우, 소룡포 등을 나눠 먹고, 서로의 안녕을 빌어줬다. 순박하니 참 착했는데, 잘 지내고 있을까 모르겠네. 작별 인사를 나눌 사람도 이렇게 단출하다니, 시드니에서는 정말 바람처럼 왔다가 사라지는구나. 한 달간 있었던 스웨덴 말뫼도 가끔 그리운데, 이상하게 시드니는 다시 가고 싶다는 생각이 들지 않는다. 해피 쉐프의 락사는 먹고 싶다는 생각은 들어도 말이지. 정말로 나라와도 케미가 맞아야 되나보다. 이래놓고 3년 뒤에 시드니에서 살고 있는 것 아니냐. 뭐, 인생은 알 수 없는 일.

한국에 귀국 전 마지막으로 멜버른 여행을 가기로 했다. '그레이트 오션로드'를 따라서 데이투어를 해 보고 싶었기 때문. 연착으로 유명한 타이거 에어를 탔지만, 무사 도착했다. 예약 해 두었던 호스텔에 짐을 풀고, 근처의 한인 여행사에 다음날 일일 투어를 예약하러 갔다. 돌아오는 길에 배고파서, 허드슨 커피에 가서 샌드위치랑 커피로 점심을 먹었다. 여행 왔으니까 맛있는 것 먹고 싶었는데 결정 장애로 결국 카페행. 저녁은 따뜻한 음식이 먹고 싶어서 유명 쌀국수 집 mekong에 갔다. 쌀국수야 뭐 어디든 맛있지. 첫째 날은 이렇게 밋밋하게 지나가고 둘째 날은 그레이트 오션로드 투어를 떠났다.

작은 봉고차에 8명쯤 탔다. 연인이나 가족 팀이 대부분이었다. 혼자 온 여성분이 계셔서 둘이서 사진 품앗이를 하며 이야기를 나누었다. 결혼 전에 마지막으로 혼자 여행을 왔다고. 제일 먼저 도착한 곳은 내가 좋아했던 영화 '폭풍속으로'의 촬영지 'bells beach'. 날이 흐렸는데도 몸 좋은 서퍼들이 수영을 하고 있어서 흐뭇하게 바라보았다. 젊은 시절의 키아누 오빠가 그립군요. '그레이트 오션로드'라는 이름의 유래는 세계대전에서 살아 돌아온 군인들과 전쟁으로 인한 실업자들 일자리 창출을 위해서 도로를 만들기 시작한 것이라 한다. 난 great하게 멋진 도로라는 뜻인지 알았지 뭐야. 그게 아니고 The great war에서 파생한 뜻이라고 한다. 차를 타고 이동하니 점점 날씨가 좋아졌다. 이름 모를 경치 좋은 해변 테이블에 앉아서, 여행사에서 준비 해 준 김밥 한 줄을 먹었다. 이 날 7시간 정도 차를 탔는데, 먹은 것은 김밥 한 줄이 전부여서 시내에 돌아왔을 때 배고파서 죽을 뻔 했다. 다음에 데이투어 가면 간식을 바리바리 챙기리라 다짐했던 날. 차타고 가다가, 예쁜 해변이 보이면 내리라고 하셔서, 사진 찍고, 또 차타고 가다가, 내려서 사진 찍고의 반복. 바다들이 예뻐서 어딘지는 몰라도 만족스러웠다. 호주가 심심하긴 해도, 자연경관 하나는 인정한다. 나의 인정을 호주인 아무도 안 바란다는 것이 핵심이지만.

달리고 달려서, 12사도 바위가 늘어서 있는 관광 스팟에 도착. 여기서 헬기 투어를 할 것인가 말 것인가 고민하다가. 내가 또 여기 언제 오겠냐 싶어서, 100달러를 투척. 고소공포증도 있어서 헬기 타는 것이 망설여지기도 했는데, 하늘 위에서 바라 본 세상은 "와. 우와!!" 이 말 밖에 안 나왔다. 역시 경험에는 돈을 아끼지 말아야 하는 법. 10분 정도 되는 비행시간이었지만 100달러의 가치가 충분했다. 이번 멜버른 여행의 하이라이트는 헬기 투어였던 듯하다. 인터넷 검색 해 보니까, 지금은 헬기투어 140달러구나. 그 다음 코스는 영국의 이민선이 좌초 할 만큼 거센 파도와 지형으로 유명한 로카드 협곡. 배가 난파가 되었을 때 유일한 생존자였던 청년 톰이 바다에서 에바 양을 구출 해 냈다기에. 우리는 둘이 나중에 결혼이라도 했나. 오오. 이러고 있었는데, 톰은 호주에 정착해서 잘 살았고, 에바는 부모님을 다 잃은 충격에 영국으로 돌아갔다고 한다. '에이구, 짠한 것.'

이렇게 투어는 마무리 되고, 멜버른 시내로 돌아오는

봉고차에서는 다들 기절해서 잠만 잤다. 뒤에서 차타는 것만 해도 힘든데, 기사님과 가이드님들은 매일 이렇게 다니신다니 존경스럽다. 오후 8시쯤 도착해서는 어제 갔던 mekong 옆의 가게에 가서, 또 쌀국수를 먹었다. 쌀국수 먹으러 멜버른 왔냐 싶었네. 뜨끈한 것 생각하면 국수만 떠올랐다. 이럴 때 순두부찌개에 밥 비벼 먹어야 제 맛인데요. 밥 먹고는 피곤해서 숙소 가서 씻고 곯아 떨어졌다.

다음 날은 미술관도 갔다가, 커피도 마시고, 맛있기로 유명한 피시 앤 칩스 가게에 가서 퓨어 블론드 맥주와 점심을 먹었다. 멜버른에서 먹은 모든 것 중에 여기가 제일 맛있었다. 따뜻한 생선 튀김에 시원한 맥주. 짭짤하고 포슬포슬한 감자튀김까지. 너 수미감자니? 바다가 보이던 테라스 석에 앉아서 밥 먹던 이 순간도 잊지 못할 추억이다. 헬기 투어랑 피시 앤 칩스가 나의 멜버른 여행기 베스트 2에 등극했다. 좋은 곳이네 멜버른. 시드니로 돌아와서는 3-4일 동안 혜정이와 동네 맛 집 한 바퀴 돌고 귀국길에 올랐다. 공항에서 출국 수속 줄을 서려고 하는데, 양쪽으로 나뉘어져서 갈팡질팡 하고 있었다. 그런데, 줄 끝에 있던 갈색머리 외국인이 아는 사람처럼 손을 흔들며 부르기에 얼결에 따라서 섰다. "안녕. 중국 사람이니?" "아니. 한국인인데!!" "아 미안. 나는 콜롬비아에서 출장 왔어. 커피회사 다녀서, 한국 맥심 커피도 알고 있어." "아 진짜? 외국인이랑 맥심 얘기하니 너무 웃긴다. (하나도 안 웃김)" "넌 어디 가는 거야?" "난 한국에 귀국해." "시드니는 어땠어?" "아름답긴 한데, 한국에 비하면 심심했어."정도 이야기 하다가 보니, 보안 검색대에서 줄이 갈라져서 얼떨결에 헤어졌다. 내가 시드니에서 외국인이랑 영어로 제일 길게 말해 본 것이 총각이었네. 건강하게 잘 지내시게나.

막연한 영미권 국가에 대한 호기심에 떠났던 호주 워킹홀리데이. 나라와 사람 간에도 궁합이 맞아야 한다는 교훈을 얻고 귀국했지만, 도전 해 본 것으로 만족한다. 안 가봤으면 계속 궁금했을 것 아니야. 지금까지 베프인 혜정이랑 만난 것만으로도 의미가 있었다. 언젠가는 해피 쉐프 누들 먹으러 한번 놀러갈게, 시드니야. 안녕!

[고향 시리즈]

내 마음의 고향 둔촌동

고향이 어디냐 물으신다면, 그곳은 둔촌동. 10세에 이사 와서, 20세까지는 둔촌아파트, 20세부터 24세까지는 신성아파트. 총 14년을 이곳에서 살았다. 고향으로 느끼게 된 이유는 초중고를 다 여기서 나와서가 아닐까 싶다. 잠실 4단지에서 태어나, 명일동 삼익 그린 아파트를 찍고, 작은이모네와 가까운 상계동에 2년 동안 이사를 갔다가, 다시 강동구로 컴백. 이사 온 곳이 둔촌동이었다. 잠실 살 때 앞집에 살던 둔촌동 아줌마가, 남자애들 학군은 둔촌동이 좋다면서 추천 했다. 보성과 동북이 있으니 맞는 말씀. 그런데, 여자인 나의 학군은!? 일본으로 다시 떠났던 28살까지는 길동에서 살았으니, 28년 인생 전반부의 22년 정도는 강동구에서 살았다. 그래서 그런가, 둔촌동 언저리는 언제나 내 마음의 고향.

사생대회는 올림픽 공원, 소풍은 롯데월드나 아차산 등반. 둔촌 아파트에는 단지 내에 가(종합상가), 나,다, 라 상가가 있었는데 우리 집은 단지 쪽문에 가까운 동이라, '라'상가가 가까웠다. 이곳에는 이화분식이라는 오래된 분식집이 있었다. 여기는 다 맛있지만, 특히 김밥이 유명했다. 소풍 때나 학교 갈 때 점심으로 사가면 애들이 맛있다고 빼앗아 먹어서 내가 먹을 것이 없을 정도. 우리 집은 특히 단골이라, 10년 뒤 쯤에, 길동 현대 아파트 앞 버스정류장에서 주인아주머니를 만났는데도 알아보실 정도였다. “아니. 넌 402동 딸내미 아니냐.” 여기서 떡볶이 사려고 기다리다가, 김일성 사망 소식 뉴스 속보 봤다는 이야기를 쓰면 또 연식 나오는 것.

중학교 친구들이랑 가끔씩 일요일에 사회체육종합센터의 수영장에 자유 수영을 갔다. 난 물에는 뜨지만, 수영은 잘 못했다. 그래도 애들 간다고 하면 같이 가서 물장구 치고 놀다가, 마지막 코스는 길 건너 맥도날드. 나는 맥 치킨 버거 세트를 즐겨 먹었는데 (마요네즈 소스가 기가 막힘) 기억으로는 세트가 2500원이었다. 친구들은 ‘나’상가 쪽에 살았고, 나는 ‘라’상가 쪽에 살아서. 햄버거 먹고는 혼자 수영가방을 흔들면서 집으로 걸어갔다. 센터에서 운동을 안 배웠던 둔촌 어린이들이 없었을 것이라 생각하는데, 난 처음에는 택견을 배우고, 그 다음에는 검도를 배웠다.

택견은 예전에 말했던 영어 과외선생님이었던 지현언니의 남동생이 다녔다. 그 집 아들이 택견을 다니고 10키로가 빠졌다면서. 엄마가 이야기를 듣고 바로 등록을 시켜서 억지로 갔었다. 어린 마음에 택견은 멋있지 않았다. “이크 에크” 이 구령은 아직도 기억난다. “차

라리 태권도를 시켜줘!" 택견만 아니면 다른 뭐라도 할 수 있을 것 같을 때, 같은 동 친구인 선희가 검도를 배운대서 따라갔다. 호구 쓰고 있는 언니 오빠들이 멋있어 보였다. "엄마, 나 검도 시켜줘." 무엇이든 간에 나가서 들고 뛰라며 검도로 등록을 바꿔줬다. 검도는 4~5개월 정도 했는데, 호구를 사야 다음 단계를 올라가는 시점에서 엄마가 "30만원 주고 세트 사봤자 몇 달 하다 안 할 테니 사주지 않겠다."라고 해서 그만 뒀다. 엄마 미워. 같이 운동을 했던 선희는 호구를 사서 그 다음 단계까지 올라갔었는데 몇 달 뒤에 소리 소문 없이 그만뒀던 것을 보면 엄마 말이 맞았을지도.

집 앞에 놀이터가 있어서, 친구들이랑 만남의 장소는 그 곳이었다. 국딩 때는 놀이터에서 뛰어 놀았고, 중학생부터는 '라'상가 슈퍼에서 사온 아이스크림 먹으면서 벤치에 앉아서 수다를 떨었다. 여름에 그렇게 수다 떨고 오면 다리에 모기 열 방 물려있었다. 우리 집에서 뒤편으로 조금 걸어가면 아파트 사이에 작은 동산이 있었다. 국딩 시절 산수 시험을 망치고 집에 와서는 이 곳으로 가출을 하려고 짐을 쌌다. 웃긴 사실은 부모님은 나한테 성적으로 압박을 준 적이 없었다는 것. 혼자서 좌절감을 느끼며, 짐을 싸려는데 마땅한 가방이 없었다. 수영장 가방이 그나마 커서 옷을 넣는데, 반투명 백이라서 가방 내부가 비치는 것이다. 보안을 위해서 가방 안쪽에 신문지를 깔고, 그 위에 옷과 속옷과 지갑을 챙겨 넣으며 훌쩍 거렸다. 우선 뒷동산으로 가출을 한 다음에는 뭐하고 먹고 살아야하지.

토요일 낮이었는데, 엄마랑 오빠는 어디 갔는지 없고, 아빠가 퇴근해서 집에 오셨다. 엄마도 없으니까 아빠가 짜장면을 시켜줬다. 아빠랑 짜장면도 먹고, 군만두도 먹고, 중식 섭취로 인해 식곤증이 왔는지 졸려서 한 숨 잤다. 자고 일어났더니, 방 한 구석에 덩그러니 놓여있는 짐 가방 하나. 저 가방이 왜 있나 생각하다가, 다시 짐을 풀었다. 혼날까봐 채점된 시험지도 찢었었는데, 엄마 아빠 그 누구도 시험에 대해 안 물어봤다. 찢은 종이는 쓰레기통에 버리고 놀이터 가서 그네를 타고 와서는 저녁을 먹었다. 누구를 위한 가출 계획이었는가. 역시 애들은 배불리 먹이고, 잠만 잘 재우면 그만이다.

봄이면 벚꽃이 피고, 가을이면 단풍이 들던, 나무가 우거졌던 주공아파트. 일요일이면 엄마랑 천혜상가 목욕탕을 가고, 종합상가 보습학원을 다니고, 사회체육센터에서 자유 수영을 하던 날들. 모교인 위례 국민학교 옆의 '나'상가. 이화분식과 단골 만화대여점이 있던 '라'상가. 친구들이 다니던 교회가 있던 '다'상가. 자전거를 타고 놀러가던 올림픽 공원. 중심상가 세븐 일레

븐에서 사 마시던 '빅 걸프 슬러쉬'. 이것 마시면 완전 '캘리포니아 걸' 기분이었지. 미국이라고는 '베버리힐즈 아이들' 드라마로 본 것이 전부였지만.

오빠랑 버스를 타고 돈까스를 사먹으러 가던 한화 쇼핑센터. 돈까스를 먹고, 쇼핑센터에 가서 엄마가 어린이 날 선물 용돈 준 것으로 샀던 핑크색 미니마우스 천 가방이 아직도 기억난다. 남은 돈으로 서점에서 '어린 왕자' 책까지 한 권 사서, 새 가방에 쏙 집어넣고 집에 왔었다. 내가 오빠랑 저렇게 외출을 다녔던 시절이 있었다니... 전생 같다. '인어공주', '미녀와 야수', '알라딘' 등 디즈니 만화 영화는 매년 잠실 롯데 영화관에 가서 봤었다. 그 시절에는 좌석이 지정제가 아니어서 선착순으로 앉았다는 이야기를 적으면 또 연식이 들통 나겠지. '포카혼타스'를 봤던 날은 윤정, 윤아랑 롯데월드 놀이동산까지 갔다가 영화를 본 바람에 피곤해서 반은 졸았다.

재개발로 예전의 모습은 없어졌지만, 영원한 내 마음의 고향은 둔촌동 주공아파트.

제 2의 고향 도쿄

나의 제 2의 고향 도쿄. 아무도 안 물어봤지만 대답해 본다. 12년이나 살았으면 고향타령 해도 되는 것 아닙니까. 04년 워킹 홀리데이 때 약 1년, 08년~20년까지 중간에 1년 한국 귀국 했을 때를 제외하고는 내 20대 후반과 30대 전부를 도쿄에서 보냈다. 이렇게까지 오래 있을 줄은 몰랐는데 살다보니 또 거처를 옮긴다는 것이 쉬운 일이 아니잖아요. 직장도 걸려있고, 비자도 있고. 그리고, 나는 대도시를 사랑하는 여자. 자연은 가끔, 쇼핑몰은 매일 가고 싶은 사람.

서울에서는 강동 쪽에서만 살았는데, 도쿄에서는 반대로 서쪽 지역에서만 살았다. 사이타마현 가와구치에서도 9개월 정도 거주했지만, 그 외는 나카노구, 세타가야구를 중심으로 살았다. 세타가야구는 우리나라로 치면 어디려나.. 송파나 분당정도 느낌?! 세타가야구도 워낙 넓어서 동네마다 분위기가 천차만별이지만. 회사 선배인 케이코와 방 2개짜리 집을 쉐어하면서 이사를 오게 된 곳이 오다큐선 '치토세후나바시역'이었다. 우리 집은 지어진지 40년은 된 3층짜리 오래된 아파트였다. 케이코의 친구네 가족이 소유한 건물이라, 그녀의 친구들이 모여서 사는 작은 공동체였다. 건물이 오래 되서 일반 임대를 주기에는 그렇고, 지인들이 하나 둘 모여

들기 시작해서, 결국 12개실 중에, 6개실에 지인들이 옹기종기 모여 살게 되었다. 낡은 외관 때문에 주변에 사는 초딩들이 우리 집을 보고 '귀신의 집'이라고 불렀다는 얘기에 다들 한바탕 웃었다. 부정 할 수 없는 사실. 지금은 1층은 유치원, 그 윗 층으로는 맨션을 지어서 임대를 주고 있다고 한다. 이제 '귀신의 집'으로는 불리지 않겠지.

비어있는 집중에 하나는 라운지처럼 만들어서 1~2개월에 한 번씩 모여서 식사를 했다. 신혼부부나 돌쟁이 애기가 있는 집들이 대부분이었고, 애들이 조금씩 크면서 다들 단독주택을 지어서 이사 나갔다. 나랑 케이코는 이 건물이 철거되고 새 건물을 짓는다고 할 때까지 눌러 살았다. 왜냐면 월세가 매우 저렴했기 때문이다. 이 집에서 토라도 키우면서 재미나게 지냈다. 여름에는 덥고, 겨울에는 추웠지만 월세가 싸니까 참아졌다. 집에서 5분 거리에 1층에는 슈퍼, 2층에는 무인양품이 있는 쇼핑몰이 있어서 저녁 먹고 매일 산책을 갔다. 슈퍼 구경은 질리지도 않아 정말. 집이 철거 되고는 한 정거장 앞인 '교도역'으로 이사를 갔는데, 급행열차가 서는 역인만큼 규모가 커서 주말에 동네만 돌아도 심심하지 않았다. 골목 곳곳에 귀여운 음식점, 디저트 가게들도 많아서 참 좋아했던 동네이다. 거기서 두 정거장만 더 가면, 한국 관광객들에게도 유명한 미도리 스시 본점이 있다. 시부야, 긴자에서 먹어도 좋지만, 역시 본점이 제일 맛있다. 우리 집에 머물렀던 한국 친구들은 필수 코스로 미도리 스시로 데리고 갔지. 생맥주에 스시 한 점. 이게 여행의 맛이다. 친구들아.

근무했던 회사가 도쿄, 사이타마, 카나가와 근처에 쉐어하우스를 운영하고 있어서, 건물 견학차 도쿄 곳곳을 다 돌아다녔다. 동네마다 분위기가 달라서 구경하는 재미가 있었다. 새로운 건물을 오픈하면 가서 사진도 찍고 블로그도 쓰고 했는데, 근처 맛 집과 카페가 어디인지 미리 검색해서 방문했다. 외근 나가서 점심시간에 합법적으로 즐겼던 땡땡이의 맛. 샤이니의 사이타마 슈퍼아레나 콘서트가 있는 날은, 일부러 사이타마의 건물 견학 스케쥴을 잡기도 했다. 그러면, 퇴근하고 바로 이동 할 수 있었기 때문이지. 신주쿠 건물을 견학하고는, 한창 인기가 높아 웨이팅이 길던 팀호완 딤섬집으로 뛰어가서 웨이팅 시간을 줄이기도 했다. 친하게 지내던 대만 스태프와 이렇게 놀았는데, 지금 생각하니 다 추억이다. 친상. 잘 지내니!? 365일중 350일은 핑크색 가디건을 입고 있었던 우리 친상. 나도 요즘에 핑크색 옷 많이 입는데, 핑크를 볼 때마다 가끔 네 생각이 난단다.

도쿄에서의 일상은 바빴다. 은영이랑은 거의 매주 금

요일마다 만나서 삼겹살에 생맥주, 혹은 카라아게에 하이볼을 마시며 신오오쿠보와 시부야를 누볐다. 퇴근하고 시부야 쇼핑몰 한번 싸악 돌고, 하이볼 한 잔 마시면 얼마나 맛있게요. 도쿄에 살고 있는 한국 언니 두 명과는 한 달에 한 번씩 내 사무실이 있는 시부야에서 런치를 했다. 히카리에에서 태국 요리를 먹거나, 새로 생긴 스크램블 스퀘어 딘앤델루카에서 브런치를 먹거나 했지. 언니들이 멀리까지 와줘서 고마웠다. 아이들 돌보느라 바빠도 시간을 내주던 착한 언니들. 아는 오빠는 없지만, 언니들은 풍년인 나. 제법 뿌듯해요.

하우스 메이트였던 케이코는 하코다테의 고향으로 귀향을 했고, 09년 입사 때 내 사수였던 캇층과는 1~2개월에 한 번씩은 만나서 실없는 농담을 하며, 고기를 먹으러 가고는 했다. 캇층이 차가 있어서, 드라이브 하고 싶거나 짐을 날라야 하는 경우는 항상 부탁을 했다. "아 귀찮게 하네" 라고 하면서도 부탁하면 다 들어주던 캇층 선배. 일본에서 코로나에 걸려서 한국으로 귀국을 한 뒤에도, 남은 짐 정리와 병원 서류 처리도 캇층이 해 줬다. 나도 평소에 캇층이 새로운 쉐어하우스를 오픈 할 때면 가서 김밥과 떡볶이를 해 주며 기념파티를 도와줬다. 이케아 가구 조립 할 때도 나를 불렀는데, 손재주가 없어서인지 몇 번 시키다가 말더라. 대신에 조립하는 동안에 친구들 먹을 식사 준비를 해 줬다. 잘하는 것을 하기. ‘기브 앤 테이크’라면 정 없고, 서로 서로 잘 해주면 좋잖아요.

6년이나 같이 살았던 케이코는 말해서 뭐해. 가족처럼 지냈다. 토라를 함께 키울 때는 거의 노부부 모드로. 케이코 어머니가 도쿄에 오시면 모시고 같이 놀러도 가고, 내가 케이코네 하코다테 고향집에 방문하기도 했다. 케이코가 올해는 서울에 온다고 했는데, 오면 카페 100군데 데리고 가야겠다. 맛있는 삼겹살도 사줘야지. 요즘에 서인국과 공유에 빠져서 한국 드라마를 많이 보고 있다고 한다. 타국의 회사에서 만난 인연이 이렇게까지 이어지다니, 감사한일이다. 결과적으로 전 직장이 나에게 남겨 준 것은 캇층 선배와 케이코뿐.

한국어 공부를 하며 알게 된 재일교포 마사에 언니와는 분기에 한 번씩 만나서, 호텔에 에프터눈 티를 먹으러 갔다. 내가 아는 사람 중에 가장 부자인 언니는 아낌없이 맛있는 것을 사 줬다. 하기사 언니 정도라면, 내가 대학생한테 더치페이 하자고 하는 느낌일 듯. 세상에 당연한 것은 없으니 나도 간간이 특산품과 작은 선물로 성의를 표하고는 했다. 호두과자와 한국식 쑥떡을 좋아하던 언니. 멋쟁이라 08년에 만났을 때부터 항상 6-7센치 힐을 신고 다녔는데, 언니도 이제는 운동화만 신고 다닌다. 작년에 만났을 때 이제 무릎이 아파서 못 신겠다고 얘기하는데 "둘이 같이 늙어가는구나" 하면서 웃었다. 언니 덕분에 도쿄의 좋은 곳들도 많이 경험 할 수 있어서 감사했다.

블로그 이웃인 미탕이와는 스위츠를 중점으로 탐구하고 다녔다. 딸기시즌에는 딸기 뷔페, 아사쿠사의 팥빙수 가게, 시부야의 에그타르트 가게 등등. 밥과 술을 함께하던 친구들과는 다르게 아기자기한 카페와 디저트를 즐기는 파트너로 찰떡궁합이었다.

매주 만나는 친구, 1개월에 한번 만나는 언니들, 2-3개월에 한번 만나는 팀들과 번갈아가면서 만나고, 2주에 한번은 퇴근하고 신주쿠에서 한국어 과외. 봄에는 벚꽃놀이. 여름에는 바다구경. 가을에는 단풍구경. 겨울에는 내 생일맞이 온천여행. 헥헥. 쓰면서도 지친다. 사이사이에 샤이니 콘서트에, 조성진 피아노 리사이틀도 가야했다. 여름 보너스 받아서는 가을에 해외여행을 가고, 겨울 보너스를 받아서는 연말에 한국에 갔다. 빚도 안지고, 저금은 적당히 하는(?) 자유로운 생활을 하며 30대를 알차게 보냈다. 모든 것이 한 때라고, 여행을 그렇게 다닌 것도 한 때. 지금은 코로나 이후로 해외여행 경비도 너무 올랐고, 장거리 비행기는 타기도 싫다. 돈이야 언제든지 모으면 되지. 라고 정신승리 하면서 타자를 치는데 왜 눈에서 물이 흐르는 것일까. 적금은 조금 더 넣을 것을 그랬다. 반성하자.

지인들 소개로 한국 아이돌이나 배우들 방일 시에 한국어 통역이나 잡지사 특파원, 현지 코디네이터 일도 했다. 유명한 그룹들은 없어서 딱히 에피소드가 없고. 어떤 배우의 실시간 통역을 덜컥 맡게 돼서 진땀을 흘린 적이 있었다. 일어를 한국어로 통역하는 것은 수월하지만, 반대 경우는 네이티브가 아니기에 어려운 것. 출연한 한국 드라마 일본 공개를 앞두고 기자들이 모여서 실시간으로 질문을 하는데 배우가 "억새 숲에서 펼쳐진 대결 장면"이라고 대답을 했다. 아 놔. 통역을 해야 되는데 이 단어가 일본어로 생각이 안 나는 것이다. 억새.. 억새.. 때려 죽여도 생각이 안 난다. 그냥 "어떤 숲" 이라고 대답하고 넘어갔는데 이 대답을 하기 까지도 세 번은 버벅거려서 얼굴이 새빨개졌다. 그 후로도, 은영이한테도 틈만 나면, "야 너는 억새가 일어로 뭔지 아냐?"라고 질문해서, 고만 좀 하라고 핀잔을 들었다. 나의 억새 숲 트라우마 에피소드. 억새는 일본어로 '스스키'.

한번은 한국 화장품 회사에서 고객 5명을 뽑아서, 케이블 방송사와 연계해서 도쿄 럭셔리 호텔 및 뷰티 체험을 하는 방송을 찍는다고 했다. 지인 소개로 현지 코디네이터 부업을 했는데, 메이크오버를 할 미용실 섭외, 단체로 식사 할 음식점 섭외, 촬영 허가 등등. 일본은 이런 방면에서 한국보다 깐깐해서 머리가 아팠다.

그래도 60%쯤 일이 진행되던 때, 11년 3.11 동일본 대지진이 터지고야 말았던 것이다. 후쿠시마 원전이 터지네 마네 하는 와중에 무슨 해외 촬영이겠는가. 모든 계획이 수포로 돌아가고 수고비는 30%만 받게 된 상황. 이 프로젝트는 일본 모델을 한국으로 초청해서 5성급 호텔에서 고객들과 함께 하는 컨셉으로 변경됐다. 담당자한테 이야기를 듣고, 마침 나도 그때 한국으로 일시귀국을 한다고 했더니, “아니 그럼 보돌씨가 일본 모델 통역 및 가이드 해 주세요.”라고. 그래서 결국 일본 모델의 한국 현지 가이드 및 통역으로 포지션이 바뀐 채 일을 100%로 마무리 할 수 있었다. 이때 번 돈으로 2개월 동안 한국에서 용돈으로 쏠쏠하게 썼지. 역시 죽으라는 법은 없구나 싶었다.

타국 생활이 뭐 맨날 신나고 재밌기만 했겠는가. 다 그만두고 싶다가도, 비자랑 월세 생각하면 참았고, 여기에 다 쓸 수는 없지만 회사에서도 승진 등에 외국인이라 받는 차별도 있었다. 한국에서 회사 다녔어도 느꼈을 감정들이겠지만, 체감상 타국이라 1.5배 정도는 더 힘들었던 것 같다. 울 엄마 말대로 “누가 일본 가라고 했냐!?” 이었기에 인내하고 버텨냈던 것. 더는 의미가 없어져서 귀국을 결심했다. 그리고 20년 3월, 회사 동료들과 한 마지막 송별회에서 코로나에 걸리게 된다. 코로나 발생 초기에 일본에서 걸려서 고생했던 스토리는 다른 편에서.

다시 생각해도 좋은 사람들을 많이 만났고, 원 없이 하고 싶은 것, 여행 다니고 살았다. 서울에서 계속 살았었어도 재밌게 지냈겠지만, 지금의 인생과는 달랐겠지. 멀티버스 어딘가 에서는 한국에서 31살에 결혼해서, 초등학생 학부모인 최보돌이 있을지도 모른다. 그 사람도 행복하겠지? 나는 행복하게 잘 지내고 있단다. 도쿄 이야기하다가 왜 멀티버스로 샜는지. 하여간에, 이제 외국에서 살고 싶은 마음은 없지만, 도쿄는 일 년에 한번은 쇼핑 및 지인 방문차 가고 싶은 도시다. 친구들이 있는, 추억이 방울방울 한 곳.

도쿄의 토라

첫 만남은 2013년 9월 12일. 나의 첫 아기 고양이 사사키 토라. 하우스 메이트였던 케이코가 친구한테서 입양 해 온 고양이가 토라였다. 케이코 친구의 친구가, 첫째 고양이가 있고 둘째를 들이려고 토라를 데리고 왔는데, 첫째랑 죽일 듯이 싸워서 당장 얘를 데리고 갈 사람을 페이스북에서 찾고 있다고 했다. 케이코가 소식을 전해 듣고, 하룻밤 만에 토라를 입양을 결정 했던 것. 2개월밖에 안된 우리 왕자님이 뭘 얼마나 덤볐다고 쥐 잡듯이 잡았니, 첫째야! 때리면 토라 아프잖아!! 그래도, 덕분에 우리가 토라를 키울 수 있었으니 고맙다 첫째야. 토라라는 이름은 일본어로 '호랑이'라는 뜻이다. 갈색 고등어무늬였던 토라가 호랑이랑 닮아서 케이코가 작명했다.

케이코는 하코다테 고향집에서 어려서부터 유기견과 유기묘를 키워왔기에 반려동물에 익숙했다. 난 어렸을 때 요크셔테리어인 '와피'를 2년간 키웠지만, 엄마가 다른 집에 보내버린 아픈 과거 때문에 동물을 좋아해도 키우지는 못하고 있었다. 그리고, 강아지랑 고양이 중에 고르라면 난 강아지파. 고양이는 무서웠다. 눈도 무섭고, 울음소리도 무섭고. 하지만, 토라를 처음 만난 날. 난 느낄 수 있었다. 오늘부터 나는 완전 고양이파!!

작고 귀엽고 앙칼지고 보드랍고 미치겠다 진짜. 퇴근하면 집까지 마하의 속도로 달려와서 토라를 둥가둥가. 귀찮아하던 말던, 내 새끼를 둥가둥가. 나의 첫 아기고양이 (엄밀히, 케이코 고양이) 잘나고도 이쁘다. 둥가둥가. 옆방에 사는 엄마 친구 포지션인 나였지만, 토라를 너무나 사랑하게 되었다. 항상 뚱한 표정의 토라 사진을 회사 동료들에게 보여주면 "어머, 최상이랑 똑같이 생겼어요." 라며 칭찬인지 욕인지 모를 반응을 해 줬다. 귀엽다는 뜻으로 자의적인 해석을 하고 마무리.

고양이는 외로움을 안탄다고들 하지만, 아니다. 강아지보다는 덜해도, 고양이도 외로움 탄다. 퇴근을 하고 집에 와서 열쇠 따는 소리만 들려도, 이미 중문에 와서 냥냥 거리고 난리. "토라야. 누나가 왔다."라며 문 열고 들어가면, 꼬리를 세우며 발등에 얼굴 비비고 난리부르스. 뒤집어 깐 배를 만져주는 퍼포먼스까지 마치는데 약 2~3분여. 그 뒤로는 내가 언제 너를 기다렸냐는 듯이 궁댕이를 휙 돌려서 방으로 먼저 들어 가버리는 것이었다. 아아. 애가 탄다 애가 타. 너의 사랑에 목마른 나는 애가 타!! 진부한 표현이지만, 고양이처럼 밀당을 잘하는 여자가 왜 매력적인지 알 수 있었다. 난 간식만 줘도 침 흘리는 강아지 스타일이라 영원히 모를 일이지만.

하루는 방에서 티비를 보면서 토라 배를 문질문질 하고 있는데, 갑자기 내 손을 '콱'하고 무는 것이었다. 생각보다 아파서, 나도 모르게 삐져버렸다. 토라가 이 공간에 같이 존재하지 않는 척을 하면서 티비만 보고 있었는데, 이 여우같은 냐옹이가, 얼굴은 안보고, 궁댕이만 슬금슬금 내 허벅지에 갖다 대는 것이 아닌가. 하는 행동이 너무 웃겨서, 콧구멍이 벌름 벌름 하면서도 냉정한 척 하며, 토라 궁댕이를 얼음판 컬링볼처럼 반대편 벽 쪽으로 싹 밀어버렸다. 그렇게 밀쳐내도 다시 슬금슬금와서 궁댕이를 갖다 대던 너. 킬포는 절대 얼굴은 보지 않고, 벽 쪽을 바라보면서 궁댕이만 그렇게 들이밀었다는 것이다. 한 네 번쯤 반복하다가, 참을 수 없는 귀여움에 토라를 품에 가득 끌어안고 뽀뽀하다가, 또 깨물렸다. 그래도 이때는 가볍게 앙앙. 물어주셨다. 자비로운 토라님. 손에 꼽히게 행복한 추억이다.

토라는 고양이용 습식 캔, 간식, 츄르 모두를 싫어했다. 오직 건조 사료만 먹었다. 그런데도 왜 덩치가 컸는지는 미스터리. 역시 고양이 집사인 히로미 선배가 우리 집에 놀러 올 때면, "야. 이게 고양이냐 호랑이지."라며 놀렸는데, 그때마다 나는 "네델란드인들 평균 신장이 180m인 것처럼, 토라도 골격이 큰 거라고."라고 항변하면서 만져 봐도 뱃살이 출렁출렁. 나와 케이코도 키가 크고 건장한 체격이므로, 우리 집 수맥이 그렇게 흐른 걸로 마무리. 토라의 두 번째 생일엔, 습식 캔에 츄르 토핑을 해서, 마른 멸치로 촛불까지 꼽아서 케이크를 만들어줬는데 싫다고 앙탈을 부리다가, 뒷발로 걷어차 버렸다. 엉엉. 넌 밥만 먹고 사냐 이것아!! 길가의 고양이 친구들은 배고프게 사는데!! 촛불 대용으로 구입한 멸치 한 봉지는 결국 내가 멸치볶음을 해 먹고 치웠다.

토라는 여름에는 가까이 잘 오지 않고, 겨울이면 내 방에 잘 와 있었다. 무심하게 내버려두는 케이코와는 달리, 난 눈앞에만 있으면 달라붙고 뽀뽀하니 여름엔 오기 싫었겠다싶네. 항상 동물을 키워온 케이코는 토라를 사랑하면서도 나처럼 유난은 안 떨었다. 그래도, 가끔 자려고 누웠을 때, 케이코 방에서 혀 짧은 소리로 토라를 부르며 "그랬쪄요. 아웅. 그랬쪄요." 같은 소리가 들려 올 때가 있었다. '그래, 너도 사람인데 토라가 귀엽지. 암요.'라고 생각하며 뿌듯하게 잠들었다. 겨울에 내 방에 왜 자주 왔나 생각 해 보니, 추위를 안타는 케이코 방은 온열 기기를 잘 안트는데, 난 전기장판에 스토브까지 틀고 있으니 따뜻해서 왔던 것 같다. 이놈의 자식. 영특한 자식.

고양이들이 엄마로 생각하면 머리맡에서 몸을 동글게 말아서 자고, 형제나 만만한 상대로 생각하면 다리 가랑이 사이에서 잔다더니 (아닐 수도 있음), 토라는 케이코랑 잘 때는 머리 옆에서 자고, 나랑 잘 때는 다리 사이에서만 잠을 잤다. 토라의 루틴은 밤에는 케이코 방에서 자고, 꼭 새벽 6시에 일어나서 화장실을 갔다가. 물 찹찹 마시고, 사료를 먹은 다음에 내 방으로 건너오는 것이었다. 전기장판을 켜두어서 따뜻해진 침대 위로 올라와서, 내 다리 사이에 몸을 동그랗게 말고 잠을 잤다. 토라가 그렇게 잠들면 난 몸을 움직이지도 못하고, 두 시간 정도 더 자다가 살며시 몸을 빼고 일어나서 출근 준비를 했다.

어느 겨울 아침, 잠든 토라를 깨우지 않기 위해 이불 사이에서 다리를 빼고 나왔다. 불도 안 켜고 아스라이 들어오는 아침 햇살 속 잠든 토라의 모습을 보았다. 평소와 같은 아침이었는데 그날은 유난히 토라가 애틋하게 보였다. 침대에 기대서 가만히 토라의 모습을 지켜보았다. 쌕쌕거리며 숨 쉬는 귀여운 콧구멍, 두툼하고 부드러운 앞 발, 반질반질 동그란 머리통. 한참동안 지켜보며 조건 없는 사랑을 느꼈다. 나중에라도 아이가 생기면 이런 마음이 들까. 처음 느끼는 기분이었다. 넘치는 사랑을 참지 못하고, 토라 목에 얼굴을 비벼대니, 토라가 "냐아아~" 하면서 깨어났다. 커튼을 걷고 창문을 열어 환기를 시키고, 토라는 그루밍을 시작했던 그런 평범하고도 행복했던 아침.

2016년 3월 18일. 출근길에 내 방 옷장 위 지정석에 누워있는 토라의 턱을 쓰다듬었다. 아침에 침대로 내려오지도 않고, 기운 없어 보이는 모습이 마음에 걸렸다. 그래도, 턱을 쓰다듬으니 좋다고 '고롱고롱' 소리를 내며 눈을 반쯤 감길래, 별 일 없겠지 싶었다. "토라야. 누나 회사 갔다 올게. 케이코랑 잘 놀고 있어." 당시 케이코는 일을 쉬고 있었다. 금요일 밤이어서, 은영이랑 신주쿠에서 저녁을 먹고 귀가하는 오다큐선에서 케이코의 문자를 받았다. "할 말이 있으니까 역 앞으로 데리러 갈게." 문득, 아침에 기운이 없던 토라의 얼굴이 떠오르면서 불길한 예감이 덮쳐왔다. 비가 오던 밤이었는데, 우산을 쓰고 있던 케이코 얼굴이 퉁퉁 부은 것을 보자마자 아무 말 없이 모든 것을 알 수 있었다.

아침에 내가 출근하고 두 시간쯤 뒤에 옷장에서 뭐가 떨어지는 소리가 나서 건너가보니, 토라가 굴러 떨어져 있었다고. 마침 집 앞에 동물병원이 있어서 안고 뛰어갔는데, 이미 심장마비로 사망한 상태였다고 했다. 점심때 말하려다가, 어차피 회사에 있어야하는데 마음만 심란 할 것 같아서 귀가시간을 기다렸다고 했다. 그래도, 케이코가 일을 쉬고 있어서, 병원이라도 빨리 간 것이 마음에 위안이 됐다. 만약, 둘 다 출근했다가, 한 명이 먼저 퇴근해서 집에서 차갑게 식어있는 토라를 봤다면 얼마나 충격이었을까. 케이코 품에서 보내 줄

수 있어서 다행이었다. 토라의 엄마는 케이코가 맞구나. 고마워.

사람 혹은 동물이 죽은 모습을 본 적이 없었는데, 집에 와서 토라의 차가운 몸을 만지니 눈물이 멈추지 않았다. 밤새 방에서 둘이 토라를 만지며 울다가, 화장터를 수배했다. 일요일 저녁에야 화장을 할 수 있었다. 토라가 좋아하던 하트모양 사료와 도라야키를 먹을 때 가끔 와서 팥고물 한 알씩 얻어먹고 가던 생각에 그것도 하나 사고, 꽃다발과 함께 화장 시켜줬다. 지금쯤 부잣집 딸로 환생해서 몽클레어 입고 영유 다니면서 잘 살고 있겠지. 이 컨셉이라면 한국에서 환생했어야 하는데. 일본 부잣집 딸은 스타일이 또 다르단 말이야.

그 뒤로도, 펫로스 증후군에 마음을 추스르는데 시간이 꽤 걸렸지만, 토라를 만나서 함께 했던 2년 반이란 시간은 절대 후회하지 않는다. 헤어지는 것이 무서워서 함께 하는 행복을 포기 할 수는 없다. 조건 없는 순도 100%의 사랑을 알려줬던 토라. 소중한 나의 첫 냐옹이. 오늘도 보고 싶다.

제 3의 고향 강릉

강릉은 우리 엄마의 고향이다. 사실은 주문진이지만, 엄마가 강릉이라고 하라고 했다. 주문진보다 있어보여서 그런가보다. 사실, 강릉에 관한 글을 한번 썼는데, 저장을 잘못했는지 파일이 날라 갔다. 그 뒤로 한 3일 동안 절필 하고 있었다. A4 2장이 날라 갔다니 믿을 수가 없었다. 나 혼자 취미로 쓰는 글이지만, 저장했다고 생각 한 파일이 감쪽같이 사라진 충격이 컸다. 강릉에 대해 다시 쓰려니 열이 받아서, 방콕이나 둔촌동에 대한 글을 쓰려다가, 다시 강릉으로 돌아왔다. 아무도 안 물어봤지만, 이런 사연이 있었다는 것을 알리고 싶었다.

2015년에 엄마가 강릉과 주문진 사이에 전원주택을 지어서 낙향을 한다는 것 아닌가. 엄마도 아빠도 지병이 있으시니, 고향 가서 자연을 벗 삼아 살 것 이라고 하셨다. 전원주택으로 이사 가서 알았는데, 그렇게 말랑한 감성으로 지낼 수 있는 곳이 아니었다. 집안은 가스를 켜도 춥고, 정원에 잡초는 자라고. 밑빠진 독에 가스 불 때기. 난방비가 장난 아니었다. 나야 어차피 일본에 있어서, 일 년에 한 번 가나 마나 했었다. 몸이 약한 노인네 두 분이서 주택을 관리하는 것은 무리였다. 그래도, 집 앞 의자에서 보던 풍경은 참 예뻤어서 아깝기는 하다. 경치는 가끔 펜션 놀러가서 감상 하는 것으로 하자. '나이 들수록 아파트가 최고다.'라는 교훈을 얻고, 3년 만에 강릉 시내의 아파트로 이사를 가셨다. 그리고, 이곳에서 나의 '강릉 일 년 살이'가 시작되었다. 남들은 집 빌려서 한다는데, 공짜로 했네.

강릉에서 일 년이나 지낼 것 이라고는 생각 한 적이 없었는데, 그렇게 되었습니다. 20년에 일본에서 한국으로 귀국을 했다. 한 회사에서 10년간 근무했으니, 좀 쉬고 다시 일을 찾아야지라는 계획이었다. 강릉에서 일을 구해야하나, 서울로 올라가면 자취는 어디서 하나 생각만 하다가, 머리가 아파지면 바다를 보러갔다. 사주에 물이 없어서 그런지 바다를 좋아한다. 해변에 앉아서 파도치는 것만 3시간 동안 바라 볼 수도 있다. 물론 돗자리도 깔고, 간식거리도 있다는 조건하에.

경포 해변에 내가 좋아하는 나무 데크 산책로가 있는데, 벤치들이 바다를 전망 할 수 있게 되어있다. 여기 앉아서, 커피도 마시고, 유튜브도 보고. 어느 날은 알밤 막걸리를 한 통 사서, 투명 텀블러에 넣었더니 옥수수 라떼 마시는 사람으로 보이는 것이었다. 아닌가요? 그냥 대낮부터 막걸리 마시는 사람으로 보였을까요. 새우깡 먹으면서 빨대로 막걸리 마시던 그 날이 기억에 남는다. 햇살 좋은 낮 시간에 엉뚱한 짓을 하고 있다는데 해방감을 느꼈다고나 할까. 회사 다닐 때는 생각도 못 했지. 암. 내 인생의 여름방학. 방학이 생각보다 길어져서, 강릉에서 겨울 방학, 봄 방학까지 맞았던 것은 문제였지만.

코로나 때문에 실내 활동이 제한되던 시절이라, 시간만 되면 해변이나, 송림으로 산책을 나갔다. 강릉 바닷가는 해변 뒤쪽으로 소나무를 심어놔서, 쭉 따라서 한없이 걸을 수 있다. 강릉 해변은 경포, 강문, 송정, 안목으로 이어진다. 나는 경포를 제일 좋아했다. 우리 집에서 202번 버스를 타면 20분이면 도착했고, 호수도 있어서 다양한 뷰를 즐길 수 있었다. 경포 호수 뒤쪽으로 허균 허난설헌 기념관이 있는데, 봄에는 벚꽃, 가을에는 단풍이 아름답다. 특히, 봄 벚꽃 시즌이 정말 아름다우니 강력 추천. 근처에, 테라로사가 있어서 커피 마시기도 좋다. 인기가 많아서 자리 잡기 힘든 것이 유일한 단점. 테라로사 드립커피랑 레몬 파운드케이크 먹는 것이 소소한 낙이었다. 생각만 해도 지금 마시고 싶네. 경포 해변은 규모가 커서, 탁 트인 느낌을 받을 수 있다. '이곳이 동해안이다!!' 그래서, 강릉 온다는 사람들에게는 경포부터 추천한다.

강문은 스타벅스에서 보이는 뷰가 좋고, 송정은 군부대가 있어서 편의시설이 많지는 않다. 안목은 유명한 카페거리가 있는 곳. 개인적으로 바다색은 안목이 제일 예쁜 것 같다. 날씨 좋은 날에 보면 에메랄드 빛 그 자체. 인스타 감성으로 오픈 한 카페들도 많지만, 매장은 옛날 스타일이어도 드립 커피가 맛있는 곳이 좋더라. '커피커퍼'의 드립 커피 맛있답니다. 맛이 깔끔해서 아아메로 마셔도 뒷맛이 좋다. '보사노바'도 안목에 오픈했기에 가봤는데 괜찮았다. 속초해변 지점은 커피가 진짜 '흙 맛'이었는데, 안목은 드립커피가 맛있었다. '만석 닭강정' 분점도 있으니, 포장해서 바다에서 돗자리 피고 먹어도 좋고. 경포에서 안목까지 송림을 따라서 걸으면 1시간 30분 정도 걸린다. 참고로, 나는 걸음이 느린 편이다. '제주 올레길'처럼, '강릉 해송길' 코스가 있으니, 산책 좋아하시는 분들에게 추천한다. 바다 보면서, 소나무 숲 걸으면 얼마나 좋게요.

주말에는 서울에서 관광객들이 많이 와서 근처도 안 가고, 주중에 주 3회는 바다로 출근 했었다. 강릉 살면서 바다 구경 실컷 한 것이 제일 잘 한 일 같다. 질리지도 않더라는. 바다 구경 말고 딱히 할 일이 없다는 것이 현실이기도 했지만... 자연을 즐기기는 좋지만, 생활에 불편한 점들도 있었다. JPT 시험을 보려고 했는데, 강원도 내에서 시험을 보려면, 원주나 춘천까지 가야하는 것이었다. 시험은 오전 9시부터 시작하는데, 원주까지 가려면, 새벽 6시에 시외버스 타고 터미널 내려서, 해당 대학교까지 버스타고 가고. 아이고야. 시험도 보기 전에 너무 춥고 졸렸다. 한라대학교 강의실 온도가 완전 시베리아 한복판. 와, 그런데 시험보고 원주 시장에서 먹은 '강릉집' 순대국 맛이 기가 막혔다. 고기국 먼저 먹고 있으면, 순대를 찹찹 썰어서 국에 넣어주시는데, 새우젓 얹어서 먹으면 예술. 이것만 먹으러 원주에 가고 싶어지네. 강릉에서는 도시에 사는 원주사람이 부러울 지경이었다. 모태 서울러가 이렇게 될 줄이야. 강릉을 사랑하지만, 문화생활을 위해 서울에서 5일, 강릉에서 2일 이 패턴으로 살고 싶다. 로또 되면 세컨드 하우스 구입해야지. 설마, 이번 주는 되겠지?

어려서부터 방학에 자주 갔던 강원도지만, 성인이 돼서 일 년이나 지내고 보니 새록새록 강릉에 정이 들었다. 조용하고 깨끗한 도시. 감자전의 고향. 커피 향 솔솔. 마음의 고향 1위는 둔촌동, 2위는 도쿄, 3위는 강릉으로 정했다. 명예 강릉 시민 시켜주시면 잘 할 수 있는데, 설악산이 있는 속초도 좋기는 한데, 역시 강릉 바다가 예쁘다. 팔은 안으로 굽어서 그러는가. 아니면, 전생에 신사임당이었던 것?!

강릉에 있는 동안은 허송세월 하는 것 같기도 하고, 수다 떨 친구들이 없어서 답답할 때도 있었다. 돌이켜 보면, 그때는 그래야 하는 시기였던 것 같다. 21년에

서울에 오게 된 것도, 아빠 만나러 왔던 막내 고모가, 월세 주는 집이 비었다고 해서 일주일 만에 후다닥 상경했었다. 인생사 큰일들은 내 의지가 아닌 우연에 의해 일어나는 것 같다. 바다를 배회하던 강릉 백수가 갑자기 서울로 돌아오고, 오랜만에 만난 지인을 통해 면접을 보고, 입사를 하고 21년은 그렇게 흘러갔었네.

역시, 세상 모든 일에는 이유가 있는 법. 지금의 내 모습도 3년 뒤에 돌아보면 이해가 가겠지. 지금이 노답이라서 하는 이야기는 아니다. 아니라고요. 흑흑. 지금 발붙이고 사는 곳에서, 아니, 집세내고 있는 곳에서, 하루하루 열심히 사는 것이 정답이다.

[내 인생의 여행들]

20대의 유럽 배낭여행기 1

대학교 2학년 여름 방학에 유럽 배낭여행을 떠났다. 라떼는 말이지. 대학교 2~3학년 여름 방학에 유럽 배낭여행을 가는 것이 유행이었다. 혼자 가기는 무섭고, 중학교 친구인 윤정이를 꼬셔서 (aka 땐녀) 홍대 앞에 있는 신발끈 여행사에 예약을 했다. 상품명은 호텔팩이었지만, 실상은 호스텔팩. 대학생들을 대상으로 해서 저렴한 상품이었다. 28일 정도 스케줄에 항공권, 숙소, 유레일 패스 등등해서 220만원이었나. 200만원이었나. 항공도 아시아나였다. 낫 배드. 같은 시기에 다른 여행사로 갔던 다른 친구는 21일 코스에 260만원이었다. 걔는 숙소가 3성급이어도 호텔이었더라고요. 역시, 돈은 거짓말을 하지 않아.

여행을 떠나기 전에 홍대 여행사 사무실에 모여서 OT를 진행했다. 20명이 같은 날에 떠나는 한 팀이었는데, 단체여행의 경우에 항공권이 무료로 하나가 나온다고 했다. 팀 리더 격인 역할을 맡으면 무료 항공권을 사용하게 해 준다고 했다. 손을 번쩍 든 남학생이 있었으니, 우리는 그 후 그를 마일리지라고 부르게 된다. 여행 리더로 무슨 일을 해결 해 준 기억은 없으나, 모두가 눈치를 보는 상황에서 손을 든 용기는 인정한다. 마일리지 오빠는 지금 어디서 뭐하고 있을라나. 항공사에서 일하고 있으면 재밌겠다.

나도 동창인 윤정이랑 같이 떠났고, 다른 일행들도 대학교 동기들과 둘씩 오는 팀들이 많았다. 직장인 언니들은 일을 그만두고 한 명씩 왔었다. 배낭여행 코스는 보통 런던 in 파리 out 이었다. 여름 방학이 시작되고, 6월 25일에 인천공항을 출발했다. 런던 히드로 공항에 도착해서 전철을 타고 시내로 들어가는데, 똑같이 생긴 주택들이 끝없이 펼쳐진 풍경에 놀랐었다. 호스텔에 도착해서 엘리베이터가 없는 5층 건물의 5층까지 40리터짜리 배낭을 메고 올라가는데 힘들어서 휘청하다가 계단 뒤로 넘어가는 줄 알았다. 유럽 길은 돌로 된 곳이 많아서 캐리어보다 배낭이 좋다기에, 사촌 언니한테 빌려서 왔는데, 같은 팀 친구들은 거의 캐리어를 가지고 왔었다. 한 달 내내 후회했음.

시차 때문에 잠도 안 오는데 해는 왜 이렇게 늦게 지는지 거의 밤을 새고 다음 날에 조식을 먹으러 갔다. 블루베리 머핀, 사과 한 알, 요거트 한 팩을 세트로 받고, 시리얼은 개별적으로 그릇에 덜어먹으면 됐다. 다음 날부터는 머핀이랑 사과는 가방에 넣고 나가서 간식으로 먹고, 아침은 식당에 있는 시리얼이랑 토스트로 때웠다. 아껴야 잘 살지.

런던 일정이 다른 도시들에 비해 길어서 (5일 정도?) 대영박물관도 갔다가, 탬즈강 유람선도 탔다가, 버킹엄궁에도 갔다. 원래도 공원을 좋아하던 나는 하이드파크에서 뒹굴 거리던 시간이 제일 좋았다. 그린파크라는 곳도 가고, 윤정이랑 공원만 보이면 가서 벤치에 앉아서 사과를 베어 물었다. 점심으로는 막스 앤 스펜서에 가서 샌드위치도 사다먹고, 맥도날드는 단골 메뉴. 여행 삼일 째에 벌써부터 김치찌개에 밥 비벼 먹고 싶었다. 같은 호텔팩에 혼자 온 효신언니랑 친해져서, 이후 일정은 셋이서 같이 다녔다.

저렴한 여행팩이어서 그랬는지, 기차에서 숙박을 해야 되는 날들이 많았다. (유레일패스는 어차피 있으니까 밤기차를 타고 이동하면, 숙박비가 세이브) 거의 삼일에 한 번은 밤기차에서 잤었다. 밤기차는 6인실 컴파트먼트라고 해서 6인 1실인 형태였는데, 도난 방지를 위해서 6인씩 팀을 묶어서 예약을 하게 되었다. 스무 명 중에 이래저래 마음에 맞는 사람들이 각각 팀을 짜게 되었다. 우리 팀 6명은 나, 윤정, 효신언니. 대학 친구들끼리 온 효진, 현진. 그리고 한 살 아래였던 부산사나이 현우. 미식 축구선수처럼 덩치가 좋았던 현우 덕분에 우리들은 마음 든든하게 도시 간 이동이 가능했다. 여름방학이라 배낭여행을 온 친구들이 많아서, 빅토리아 코치 스테이션에서 고등학교 동창을 만나고, 스위스에서 케이블카 기다리면서 대학 동기를 만나기도 했다. “어머. 보돌아!”하고 누가 부르기에 돌아보니, “아니 네가 여기 왜 있어.” “뭐야. 나도 여행 왔지!!” 하긴 그건 그렇다. 세상 참 좁다고 느꼈던 순간들.

거의 20년 전 일이라, 이동했던 코스들이 세세하게 생각나지는 않아서 각 나라별 임팩트 있던 에피소드들로 정리 해 보겠다.

1. 벨기에 브뤼셀

런던에서 차가운 샌드위치랑 햄버거로 연명하던 우리들. 야간 버스를 타고 도시를 이동했던지라, 호스텔 체크인까지 몇 시간을 기다려야 했다. 다들 지쳐서 호스텔 앞 벤치에 늘어져 있었다. 윤정이랑 오늘은 꼭 따뜻한 음식을 먹자고 둘이서 다짐. 감자튀김으로 유명한 나라인 만큼, 감튀를 꼭 먹고, 오늘은 고기 먹자며 스테이크를 먹으러 갔다. 스테이크 먹으면서 감튀를 사이드 메뉴로 먹으면 딱 좋잖아요. 테라스 좌석에 앉아서 맥주도 한 잔 하고, 감튀는 마요네즈에 찍어먹고, 스테이크 쓱쓱 썰어서 먹으니 이곳이 천국. 이 순간을 남기기 위해, 옆자리 노부부에게 부탁해서 스테이크와 함께 둘이서 사진도 찍었다. 지금도 핸드폰에 넣고 다니는, 좋아하는 사진 중 하나이다. 오줌싸개 동상은 시시했고, 근처에서 사먹은 와플은 맛있었다. 벨기에는 음식들이 참 맛있었던 듯. 특히, 매대에서 팔던 꼬깔콘 모양으로 접어준 종이에 감자튀김을 한가득 담아 마요네즈 찍어먹던 맛이 잊혀 지지 않는다. 감자 중의 감자는 프렌치가 아닌 벨지안 프라이라구요.

2. 체코 프라하

내가 여행을 갔던 01년도는 유로화가 공식적으로 유통되지 않던 시절이었다. 지금 찾아보니까 02년 1월부터 사용 되었다고 나오네. 그래서, 여행 전에 각 나라별 화폐를 환전해서 가져갔었다. 현지에 가서 달러를 환전하는 사람들도 있었지만, 파워 J인 나는 삼성동 외환은행에 가서 바꿔왔었다. 체코는 지금도 유로화가 아닌 코루나라는 화폐를 쓰고 있다고 나오네. 점심을 사먹고, 단위가 큰 지폐를 내고 잔돈을 거슬러 받았다. 저녁에 슈퍼에 가서 장을 보고, 현금을 냈는데, 캐셔가 "이건 위조지폐야. 사용 할 수 없어"라는 것 아닌가. "what!?"이라고 비명을 지르고, 어떻게 해야 되나 머리가 하얗게 되어 서 있는데, 뒤에 서있던 아주머니가 "아가씨. 곤란하면 내가 대신 계산 해 줄까?" 하면서 걱정스럽게 물어보셨다. 누가 봐도 가난해 보이는 여행객이 2~3만원 때문에 곤란한 모습이 불쌍해 보였나보다. "아니에요. 괜찮아요. 감사합니다."라고 하고는, 지갑에 있던 여윳돈으로 계산을 했다.

여행을 다니면서 위조지폐 사건을 겪은 곳은 프라하

가 유일했다. 금액이 매우 큰 것은 아니었지만, 위조지폐라니요. 뒤에서 계산 해 주겠다고 하셨던 눈빛에 아직도 감사하다. 여행은 이런 소소한 순간들을 쌓기 위해 가는 것이 아닐까. 그리고, 프라하성에 올라가면서 사먹은 환타의 탄산이 매우 강했었다. 하필 언덕길 올라가며 마셔서, 탄산이 목젖을 강타. 분수처럼 음료를 뿜어냈던 장면도 기억난다. 휴지라도 건넬 생각은 없이 나를 보며 웃어대던 윤정과 효신언니 얼굴도 생생하다. 슈퍼에서 만난 아주머니보다 못한 친구들 같으니라고!! 카를 교에서 야경도 보고, 블타바 강을 배타고 돌아보기도 했다. 낭만적인 기억은 사라지고, 웃긴 에피소드만 남은 프라하.

20대의 유럽 배낭여행기 2

3. 이탈리아 로마

두 번째 이야기는 이탈리아 로마에서 썼던 일기로 시작하겠다.

[오늘은 7월 9일. 로마에 온지 이틀째. 판테온 신전 앞이다. 신전은 대충 둘러보고, 너무 배가 고파서 맥도날드의 베이컨 버거 세트를 먹었다. 진짜 배부르다. (베이컨은 달랑 두 조각뿐이었지만, 고기가 두 겹이었다.) 이제, 지올리티에 가서 아이스크림을 먹고, 광장의 분수대 앞에서는 수박을 먹어야지. (엄마, 배낭 여행가면 살이 빠져서 올 것이라고 했는데 미안해요. 다 너무 맛있어.) 어제는 일기를 못 썼다. 어제의 일정을 간단하게 요약하자면, 로마에 도착 > 리퍼블리카에서 일행들과 헤어져서 윤정이랑 둘이서만 다님> 플래닛 피자에서 바가지를 쓰고 기분이 나빠짐 > 스페인 계단, 트레비 분수를 구경함 > 밤에 콜로세움 야경을 보러 나갔다가 4시간 동안 걸었음. 산책 도중에 샌들이 끊어져서 신발을 질질 끌면서 귀가함 > 호텔로 돌아와서 새벽 1시30분까지 마피아 게임을 했음. 어제 너무 많은 일을 해서 피로함에 일기를 쓸 수가 없었다. 오늘도 많은 일들이 있었지. 사실 별일 없었다. 신전 앞에서 쭈그리고 앉아서 일기를 쓰려니 다리가 저려온다. 이제 그만 쓰고 일어나야지. 오늘은 오후 7시까지만 구경하

고, 숙소 돌아가서 샤워하고 정리 좀 해야겠다.]
 일기장에 먹는 얘기만 쓴 것이 기가차서 적어보았다. 분수대 앞에서 대체 무슨 수박을 먹었다는 것이지? 아이스크림까지는 이해가 가는데, 수박을 어떻게 먹었을까.

4. 프랑스 니스
 프랑스 니스에서 일어났던 사건 중에 가장 큰 일은 나와 현진이가 익사 할 뻔 했던 일이다. 현진, 효신언니, 윤정, 나. 4인이 함께 손을 잡고 바다에서 둥둥 떠서 놀다가, 큰 파도가 우리를 덮쳤다. 순식간에 잡고 있던 손들이 흩어지고, 물에 뜰 수는 있어도 수영은 못하는 나는 정신없이 허우적거렸다. 땅에 발도 안 닿고, 진짜 이러다가 죽겠구나 싶을 때, 누가 와서 내 목 뒤를 잡아 올려줬다. 그는 부산 사나이 현우. 수영선수였던 현우가 나와 현진이를 구하러 바다에 뛰어 들었던 것이다. 효신언니랑 윤정이는 수영을 할 수 있어서 먼저 나가서 해변에서 한숨 돌리고 있었다고. 심지어 효신언니는 선크림을 바르고 있었단다. 야... 나는 죽는 줄 알았는데. 밖에서 봤을 때는 그렇게 위급한 상황으로 안보였나. 웬일이니. 현우가 나를 건지러 왔을 때, 내가 막 허우적거렸더니 "누나. 가만히 있어 봐요." 계속 되는 몸부림. "가만히 있으라고 쫌!!" 물 먹은 와중에도 부산 사투리로 화내니 무서워서 가마니처럼 있었다. 그랬더니, 튜브처럼 몸이 물에 동동 떴다. 나를 건져 왼쪽 팔에 내 목을 끼고, 현진이를 건지러 갔다. 오른 팔에는 그녀의 목을 걸고, 헤엄쳐 나온 우리의 부산 사나이. 농담이 아니고, 그때 현우가 구해주러 오지 않았다면, 9시 뉴스에 배낭여행 갔다가 익사한 대학생으로 나올 뻔했다. 이 사건이후로, 수영을 배우려고 했지만, 이십년이 지난 지금까지 안 배우고 있다는 후일담.

5. 스페인 바르셀로나

스페인과 프랑스에서 유난히 사건 사고가 많았는데, 바르셀로나에서 있던 일. 부산 사나이 현우가 아침에는 지하철에서 지갑을 소매치기를 당하고, 저녁에는 KFC에서 가방을 통째로 잃어버렸다. KFC에서는 우리가 잘못 했던 것이, 한국에서처럼 습관적으로 백팩을 가방 뒤로 걸어놨던 것이다. 햄버거를 먹으면서 신나게 수다를 떨고, 자리에서 일어서니, 이미 현우의 가방은 통째로 사라졌던 것. 한 사람에게 하루 만에 일어난 일이라는 것이, 바르셀로나 치안의 무서움. 다음 날 저녁에는 열 명이 넘게 모여서 분수 쇼를 보러 갔다. 지하철을 함께 타고 가는데, 일행 반은 차에 탔고, 나머지 반은 플랫폼에 서있을 때 열차 문이 스르륵 닫히는 것이었다. 만화책에 나오는 것처럼, 눈앞에서 스르륵. 6.25때 이랬으면 이산가족 될 뻔했다. 이때는 해외에서 스마트폰을 쓸 수도 없던 시절이라, 반반 나뉘어서 갔는데 분수대 앞에 가니까 어느새 다 모여 있었다. 잠깐 헤어졌던 것 뿐 인데 얼마나 반갑던지.

이때는 '론리 플래닛' 나라별로 분철해서 가지고 다니면서 다른 나라 넘어갈 때 버리는 것이 국룰이었다. 심지어 윤정이랑 나는 분철 한 책도 무겁다고 안 들고, 관광센터에서 주는 지도 한 장만 들고 도시를 누비고는 했다. 구글 맵 없던 시절에 하던 여행이 더 낭만적인 것 같다. 바르셀로나에서는 구엘 공원도 가고, 분수쇼도 보고, 투우 경기도 보고 배낭 여행자다운 스케쥴을 소화했다. 그리고, 몇 년 뒤에 티비에서 여행프로를 보는데, 바르셀로네타 해변이 나오는 것이 아닌가. 진심으로 바르셀로나에서 해변이 있는 줄 몰랐다. 아. 맞다. 사그라다 파밀리아 성당도 못 가봤지. 이 도시는 꼭 한 번 다시 가봐야겠다고 다짐하고, 14년에 다녀왔다. 소매치기만 아니면 참 매력적인 도시였다.

6. 프랑스 파리

바르셀로나에서 파리로 넘어가는 열차를 타고 가던 우리들. 갑자기 열차가 정차를 하더니, 역장 같은 아저씨가 스페인어로 뭐라 뭐라 하는 것이다. 그러면서 빨리 내리라고 난리부르스. 내리고보니, 이미 역에는 몇 백명의 사람들이 모여 있었다. 같은 여행사 팀 다른 일행들을 역에서 만나서 이야기를 들어보니, 비가 많이 와서 터널이 무너졌다고 한다. 철도회사에서 수배 해준 버스를 타고, 프랑스 몽펠리어역에 내렸다. 이때가 자정 12시. 이 역에서 파리 리옹역으로 가는 TGV는 첫차가 오전 5시 30분이라고 했다. 그렇게 시작된 노숙 타임. 물에 빠져죽을 뻔도 하다가, 소매치기도 당하고, 이제 마지막 여행지인 파리로 간다했더니, 터널이 무너지고 난리다. 역 구석에 옹기종기 모여서 시간을 때우는데, 현우가 전원일기 주제가를 부르기 시작해서, 다들 그 구슬픈 가락에 눈물을 흘리면서, 서울 가면 제일 먼저 뭐 먹을지 이야기했다. 난 회냉면이 제일 먹고 싶었던 기억이 있다.

노숙을 하면서 파리에 도착해서 곧바로 베르사이유 궁전으로 갈 멤버들, '베르사이유의 장미' 만화에서 유래한 '장미부대'를 결성했다. 향기로운 이름과는 달리 장미부대는 샤워도 못하고 꼬질한 모습 그대로 진격했다. 심지어, 매표소에서 티켓을 사려고 줄 서있는데 비까지 내리는 것 아닌가. 다들 가방에서 주섬주섬 비닐봉지를 꺼내서 머리 위에 뒤집어썼다. 어느 나라 땅거지들이 놀러 온 건지 원. 궁전에서는 오스칼, 앙드레, 마리 앙뜨와네트, 만화책 이야기를 나누던 즐거운 추억을 만들었다. 관광을 하고, 파리 리옹역으로 컴백. 숙소에 들리지 않고, 궁전으로 바로 가느라고 역 코인라커에 가방들을 넣어뒀는데 그 위치가 기억이 안 나는 거

라. 8명 중에 어쩜 한 명도 기억을 못하는지. 30분 동안 헤매다가, 짐을 찾고 숙소에 돌아오니 오후 9시였다. (강릉 집에서 유럽여행 일기장을 찾아온 덕분에 자세히 기록) 전날 역에서 노숙에, 베르사이유 관광까지 하드한 스케쥴이었다. 맥도날드에서 햄버거 사먹고는 샤워하고 바로 뻗었다. 유럽 여행 중 제일 많이 먹은 것은 맥도날드 햄버거.

다음 날에는 효신언니, 윤정과 오르세 미술관에 갔다. 백 팩을 메고 줄을 서 있는데, 내 가방 옆 지퍼가 스르륵 열리는 것 아닌가. 엥? 하고 뒤를 돌아보니 그 손이 다시 자연스럽게 빠져나가고 있었다. 바르셀로나를 떠났다고 안심 할 것이 아니었군. 백 팩을 앞으로 고쳐 맸다. 미술관에 들어가서는 보고 싶은 작품들이 달라서 자연스럽게 흩어졌다. 언제 어디서 다시 모이자는 약속도 없이. 난 1층을 살짝 둘러보고, 뮤지업샵에 구경을 갔다. 굿즈들을 보고 다시 미술관으로 들어오려는데, 티켓을 보여달라고 하는 것이다. 뮤지엄샵은 입장 티켓을 안 산 사람들도 들어올 수 있으니까, 확인을 하는 것. 그런데 귀신이 곡할 노릇인 것이, 아무리 가방을 뒤져봐도 티켓이 안 보이는 것이다. 언니랑 윤정이랑 다시 만날 약속도 안했는데, 나는 내부로는 다시 들어갈 수가 없고 난감하네. 그녀들이 구경하고 나오려면 한 시간 이상은 걸릴 것 같아서 근처 카페에 갔다. 비까지 내려서 춥고 서럽고. 유명 작품들은 구경도 못하고 엉엉. 입장하는데 한 시간 걸렸는데, 십분 만에 아웃이라니 엉엉.

항상 다른 일행들을 따라다니거나 윤정이랑 다녀서 혼자 떨어져 나온 것은 처음이었다. '영국이면 영어라도 하지, 프랑스어는 하나도 모르겠는데. 지도도 여행책자도 하나도 없는데 어쩌지.' 라고 걱정하면서 주문한 플랑과 커피를 마셨다. 플랑이라는 디저트는 이때 처음 먹어봤는데, 커스터드 필링이 향기롭고 부드러워서 나중에도 생각이 났었다. 30분가량 카페에서 일기도 쓰고 계획도 세우고 나왔다. '미술관 출구에서 20분쯤 기다리다가, 못 만나면 오늘은 나 혼자 파리를 탐험 해보자.'라고 정했다. 걱정이 무색하게 기다린지 10분 만에 일행들을 만났다. 그녀들도 내부에서 나를 찾아 한참을 돌다가, '못 만나면 숙소에서 봐야겠다.'라며 나왔는데, 출구에서 내가 우산을 쓰고 서 있었다고 했다. 아아. 스마트폰이 없던 시절의 낭만이여. 셋이서 다시 만난 것이 신나서 방방 뛰다가 점심 먹으러 갔다. 이 일 뒤로는 항상 뮤지엄 샵은 관람을 마치고 맨 마지막에 가게 되었다.

파리 일정 마지막 날 밤. 한 달여간의 배낭여행이 마무리 되는 날이다. 이 날 만은 옷도 제대로 입고, 레스토랑에서 제대로 밥 한 번 먹자고 뭉쳤다. 사진작가인 영선언니가 대포 카메라로 사진도 찍어줬다. 메뉴판을 보니 beef 라고 적혀 있기에 시킨 메뉴가, 받고 보니 '비프 타르타르'였다. 육회 같은 메뉴를 받고 망연자실 하던 우리들. 지금이라면 없어서 못 먹을 메뉴지만, 20대 초반에게는 생소한 맛이어서 거의 남겼다. 식전 빵에 버터 발라먹는 것이 제일 맛있었던 마지막 날 저녁 식사였다.

유럽 배낭여행 같이 갔던 친구들끼리 도중에 싸워서, 돌아오는 비행기는 따로 앉아서 온다는 얘기들도 많았는데, 나와 윤정은 다행히 지금까지도 친한 친구로 남아있다. 신발끈 여행사에서 만났던 같은 팀 언니, 동생들도 몇 년간은 연락을 하며 재밌게 지냈는데, 이제는 연락이 안 되서 아쉽다. 이것이 시절인연인가보다. 즐거웠던 인연이라는 것에 위안을 가져본다. 지금 같이 인터넷이 발전하기 전에 다녀온 여행이라 사건 사고도 많고, 추억도 많았던 나의 첫 유럽 배낭여행.

30대의 유럽 여행기 1

20대 초반의 유럽 배낭여행 이후, 20대 후반에 'TAKE THAT' 콘서트를 보러 런던에 일주일 다녀온 것이 마지막이었다. 30대 초반에 일본에서 회사를 그만두고 시간이 남을 때, 친구가 유학중인 스웨덴으로 가서 7월 한 달 동안 체류했었다. 스웨덴 남부의 룬드라는 도시의 기숙사에서 함께 지냈다. 룬드는 대학생들이 많은 곳이라 조용한 편이고, 쇼핑이나 구경을 하려면 열차를 타고 말뫼라는 옆 도시로 나가야했다. 룬드에서 말뫼까지가 열차로 15분정도인데 2011년 기준 편도가 1만원. '썸머 요요'라는 1개월짜리 정기권을 사서 이걸 타고 이동했다. 아니면 교통비 때문에 집에만 있어야 할 뻔 했다. 북유럽 물가는 정말 무시 무시하구만.

그래도, 슈퍼 물가는 일본과 엄청나게 차이가 나지는 않아서 (외식비는 비싸다.) 거의 집에서 밥을 해 먹었다. 아침에는 오버나이트 오트밀. 친구는 통밀 크래커에 돼지 간 파테를 발라서 먹었는데 난 그것만은 귀국할 때까지 적응 할 수 없는 맛이었다. 순대 간은 좋아하는데 차가운 간 페이스트는 별로였다. 점심은 카페에서 샌드위치랑 커피를 사먹거나, 베트남 음식점가서 쌀국수도 먹고, 저녁에는 샐러드 파스타나 고기를 구워먹었다. 이 메뉴의 영원한 반복. 가끔 특별식으로 케밥을 먹었는데, 아랍계 이민자들이 많아서 그런지 정말 맛있었다. 여기 학생들은 술 먹고 해장으로 팔라펠이랑 케밥을 먹는다고 했는데, 술 한 방울 안마시고 먹어도 맛있었다. 말뫼에 있던 채플린 케밥집 잊지 못해. 아저씨 잘 계시죠!? 마늘소스 기가 막혔었다. 하루는 이케아에서 본토의 미트볼을 먹는다고 설레었는데, 일본 이케아에서 먹은 것과 똑같아서 실망했다.

카페들이 많아서 낮에 디저트와 커피를 즐기기도 했다. 요즘은 한국에서도 많이 알려진 스웨덴의 '피카 타임'. 커피타임으로 생각하면 될 듯. 일반적으로 시나몬롤을 많이 먹었고, 그리고 내가 좋아했던 것 프린세스 케이크였다. 스폰지 케이크, 라즈베리잼, 크림을 층층이 올리고 녹색 마지팬으로 덮은 디저트이다. 겉을 덮은 매끈한 녹색 마지팬이 예쁘고, 크림도 맛있어서 좋아했다. 스웨덴 공주들이 즐겨먹어서 프린세스 케이크라고 불렸다고 한다. 귀여운 유래로군. 가게들은 거의 오후 6시면 닫았다. 저녁 먹고는 할 일이 없어서, 슈퍼 구경을 가거나 동네 공원을 뛰었다. 북유럽 사람들이 왜 가족중심의 삶을 사는지 알게 되었다. 저녁시간에 밖에서 할 일이 없었다. 다들 집에서 뭐하고 지내는 것일까?

한 달이라는 체류기간 동안에 'TAKE THAT' 콘서트를 보러 옆 나라 덴마크 코펜하겐에도 갔다. 스웨덴 남부는 수도인 스톡홀름보다, 덴마크 수도인 코펜하겐이 더 가깝다. 비행기도 인천-코펜하겐으로 탑승했다는 사실. 탈퇴 멤버였던 로비 윌리엄스가 함께 하는 공연이라 우리는 2일치 공연을 예매했다. 런던에서 봤던 공연에서는 로비가 없었기에 5인 완전체 콘서트를 본다는 의미가 컸다. 물론 덕후가 아니면 아무 감흥 없겠지만요. 와이프와 여친한테 끌려온 남자들은 맥주를 마시면서 동태눈으로 공연을 보고 있었다. 화장실이 무서워서 공연을 가면 식음을 전폐해야 되는 입장에서 매우 부러웠던 부분.

첫날 공연을 감동적으로 보고 스웨덴 숙소로 돌아오니 새벽 1시. “다음 날 공연 또 봐야 되는데 죽겠다야.” 이라면서 취침. 이튿날에 삐거덕거리는 몸을 일으켜서 다시 코펜하겐으로 향했다. 이 날은 스탠딩석이라 미리 와서 몇 시간 동안 앉아서 줄을 맡고 있었는데, 오후 6시가 되어서 갑자기 스태프들이 나오더니 뭐라 뭐라 하는 것이다. 그리고, 절규하는 스웨덴 덕후 친구들. 우리는 무슨 얘긴지 몰라서 멍하니 있다가, 영어로 오늘 공연이 캔슬 됐다는 이야기를 듣고 절규했다. 로비가 랍스터 샌드위치 먹고 식중독에 걸려서 공연이 중지되었다. 햄 치즈 샌드위치나 먹을 것이지, 왜 여름에 해산물을 먹었어요 오빠... 그나마, 어제 공연이라도 한 번 봤으니 다행이라고 할까. 터덜터덜 돌아왔던 그

날 밤의 기억. 한 번도 못 봤으면 열 받아서 북유럽 랍스터 다 불태웠을 듯.

공연 때는 코펜하겐 시내를 구경 한 것이 아니어서, 본격 관광을 위해 다시 도시를 방문했다. 기차타고 한 시간이면 가니까 몇 번이고 갈 수 있지. 교통비가 문제일뿐. 근엄 왕세자로 유명했던 덴마크 왕족들이 산다는 왕궁도 구경 가고, 국립 미술관에도 갔다. 좋아하는 화가인 마티즈의 작품들이 있어서 감상을 하고, 인어공주 동상을 보러 갔다. 동상을 보는 것이 일정의 하이라이트였는데 크기가 생각보다 작았다. 그래도, 동상과 바다와 요트들이 어우러져서 아름다웠다. 여기서 코펜하겐 카드 (관광객용 여행카드)로 배를 타고 반대쪽으로 건너 갈 수 있을 줄 알았다. 점심도 안 먹고 기다렸는데, 배가 오고 나니, 유료로 탈 수 있고, 코펜하겐 카드를 쓰려면 뉘하운(NYHAVN) 운하에서 출발하는 가이드가 있는 배를 타야한다고 했다. 여기까지 걸어왔는데 그 길을 다시 돌아가야 한다니. 하늘이시여. 콘서트 캔슬 되었다는 이야기를 들었을 때만큼 슬펐다. 덴마크랑 궁합이 안 맞는 것일까.

나는 네가 좋은데 코펜하겐아.

뭐 내가 힘이 있나. 다시 오던 길을 걸어 올라서 뉘하운(NYHAVN)으로 갔다. 코펜하겐 관광 스팟으로 유명한 곳으로 알록달록 예쁜 집들이 꼭 동화책 한 장면처럼 펼쳐져있다. 뉘하운으로 오는 길에 유명한 인테리어 소품 가게들도 있어서 구경하는 재미가 쏠쏠했다. 운하에 떠있는 요트 위에서 태닝도 하고, 뜨개질도 하고, 와인도 마시는 덴마크 인들을 보면서 북유럽의 클래스를 다시 한 번 느꼈다. 어느 나라에서 태어날지는 내가 고르는 것이 아닌데 너네는 로또 맞았구나.

아까 못 타서 한이 맺혔던 관광객용 배를 타고 인어공주 동상 뒷모습도 보고, 코펜하겐 카드로 전철을 타고 이동해서 티볼리라는 유명 놀이공원에 갔다. 이 곳 역시 코펜하겐 카드가 있으면 입장료가 무료. 놀이기구뿐 아니라 공원처럼 조경이 아름다워서 벤치에 앉아서 한참 쉬다가 중앙역으로 이동했다. 중앙역에서 스웨덴 가는 기차 기다리면서 저녁으로 먹었던 도미노 피자 한 조각과 칼스버그 맥주. 별 것 아닌데 이 날 혼자 먹었던 피자랑 맥주가 어찌나 맛있었던지 아직도 기억이 난다. 여행이란 이런 사소한 추억들이 쌓여서 소중 해지는 듯.

참, 스웨덴 온지 1주일째에 베를린도 갔었다. 3박4일짜리 호텔팩을 예약했다. 에어베를린이라는 저가항공이었는데 머핀이랑 커피도 줘서 좋았다. 코펜하겐에서 베클린까지는 1시간이면 도착했다. 은근 가깝네요. 3성급 저렴한 호텔에다가, 공항 근처여서 비행기 소리에 첫날에 잠을 설쳤다. 게다가 침대가 트윈이 아니고 더블이었다. 친구랑 나랑 둘 다 예민 보스여서 옆 사람이 뒤척이면 침대가 꿀렁거려서 자다 깨다 난리.

그렇게 새 아침이 밝았다. 눈 뜨자마자 근처 슈퍼에 가서 체리 한 박스와 하리보 젤리부터 한 가득 사왔다. 서울에 있는 윤정이가 하리보 젤리를 좋아해서 선물로 미리 사뒀지. 듬뿍 줘야지. 내가 좋아하는 과일은 딸기와 체리인데, 유럽은 체리가 저렴해서 양껏 먹었다. 씻고 정신 좀 차리고는 TKMAXX 라는 할인 스토어에 갔다. 북유럽 날씨가 생각보다 추워서 방수가 되는 등산복을 사기로 마음먹었기 때문이다. 난 5만원짜리 핑크 점퍼 하나 사고, 친구는 나이키 레깅스를 사서 나왔다. 그리고는 근처에 있는 커리부어스트 가게에 들어가서 소세지와 감튀 세트를 먹었는데, 기절. 정말 맛있었다. 이것이 바로 독일 소세지군요. 차후에 브란덴브루크문에서도 커리부어스트를 먹었는데, 이곳이 3배쯤 더 맛있었다. 마요네즈에 감튀 찍어먹으면 헤븐.

그리고는 카데베라는 백화점에 가서 식품매장 구경을 갔다. 세계 어디를 가도 슈퍼 구경하는 것이 제일 재밌다. 카데베 6층은 이런 나에게 완전 놀이터였다. 신선

한 과일, 다양한 종류의 독일 빵, 예쁜 티세트, 초콜릿 종류는 또 왜 이리 많은지. 눈 돌아간다. 베를린에서 제일 즐거웠던 시간 '베스트 3'에 들어가는 식품 매장 구경이었다. 버켄스탁이 독일에서도 비싸서 한번 놀랐고, 브란덴브루크문에 대해 찾아보다가 예전에 나치 전당대회 열렸던 사진을 보고 역사에 대해 생각 해 보기도 했다. 베를린 장벽으로 가는 길에 헤매고 있었더니, 이스트 갤러리까지 데려다줬던 착한 독일 아가씨도 만났고, 지하철에서 기물을 뽑아서 전철 문을 부수려던 무서운 10대들도 보았다. 쳐다보면 맞을까봐 완전 눈 깔고 앉아있었잖아. 다이나믹한 베를린 도보여행이었다. 슴슴했던 스웨덴에서의 일상과는 비교가 되지 않는걸!

친구랑은 낮에는 각자 다니고, 저녁은 같이 먹었다. 난 박물관, 미술관 구경을 좋아해서 하루는 '뮤지엄 패스'를 구입해서 두 곳의 박물관에 방문했다. 페르가논 뮤지엄, 이집트 유적들 특별 전시가 있었는데, '와. 개인이 이렇게 발굴을 할 수 있단 말이야?' 이집트와 중동지역 유물을 발굴하던 때의 숙소 사진이 있었는데, 아가사 크리스티 추리소설 배경을 사진으로 찍어둔 것 같은 모습이었다. '나일 강의 죽음' 참 재밌게 읽었는데요.

2층에 올라가서 아랍 유물도 구경하고, 점심으로는 테

라스석이 있는 이탈리안 레스토랑에서 연어 파스타를 먹었다. 근처 직장인들인지, 셔츠를 입은 남자들 한 무리가 식사 중이었다. '와. 진짜 잘생겼다. 게르만 인들은 키가 크니까 어깨도 넓구나. 역시, 남자는 어깨야.' 파스타를 먹으면서 눈 호강도 했던 즐거운 시간. 점심시간 잘 맞춰서 밥 먹으러 간 나를 칭찬했다. 어째 유물 관람 감상보다 어깨 얘기가 더 길어지는 것 같다. 이런 것이 여행의 재미 아니겠습니다. 돌덩이 유물보다, 살아 숨 쉬는 미남 구경이 더 소중한 경험인 것이다. 현재를 살아라.

시간상 한 곳만 더 볼 수 있을 것 같아서, 뉴에스 뮤지엄으로 이동. 이집트 유물들을 중심으로 한 곳이었다. 람세스와 네페르티티가 두 손을 잡고 있는 조각이 있었는데, 손만 나온 조각이 이렇게 다정하게 보일 수 있는지. 크디 큰 파라오, 스핑크스 조각들보다 맞잡은 두 손 조각이 제일 기억에 남았다. 베를린에 재방문한다면 '박물관 섬'에는 꼭 다시 가고 싶다.

스톡홀름에도 2박3일 일정으로 여행을 갔다. 기차로 4시간이 걸렸다. 남부지방에서는 덴마크 수도인 코펜하겐이 훨씬 가깝구나. 가는 동안 지겨워서 몸을 베베 꼬면서, 노트북으로 미드 '얼음과 불의 노래'를 시청했다. 스톡홀름에서도 친구는 논문을 써야 되서 거의 숙소에 있었고 나 혼자 구경을 다녔다. 내셔널 갤러리에서는 마리 앙뜨와네뜨 초상화를 봤다. 나와 생일이 같아서 혼자 친근감을 느끼고 있는 마리 왕비. 그래도, 나는 곱게 죽어야지. 똑같은 그림을 지난번에 국립중앙박물관 전시에서 봤는데, 스웨덴 여행 기억이 떠올라서 반가웠다.

스톡홀름에서도 박물관들이 모여 있는 유르고덴섬에 가서 하루를 보냈다. 이곳으로 가는 트램을 탔는데 소매치기로 보이는 사람이 손에 자켓을 덮어쓰고는 슬금슬금 다가오는 것이었다. 스페인도 아니고, 스웨덴에도 소매치기!? 놀라서 게걸음으로 옆으로 도망가서는 다음 역에서 내렸다. 방심은 금물.

유르고덴섬에서는 '빨간 머리 삐삐'의 박물관인 유니바켄과 침몰되었던 군함인 바사호를 전시하고 있는 바사 뮤지엄, 야외 박물관인 스칸센에 갔다. 11년 기준, 스톡홀름 카드가 10만원이었는데, 이 카드만 있으면 뮤지엄과 교통비가 무료였다. 본전 뽑으려면 열심히 구경해야지. 바사 뮤지엄은 배가 통째로 전시되어 있어서 스케일이 어마어마했다. 박물관 자체도 어둑하게 연출해서 약간 무섭기도 했다.

스톡홀름 여행의 하이라이트는 노벨상 시상식이 열리

는 시청사 투어. 당일에 가서 예약을 하고 참가하면 됐다. 시청사 앞으로 호수가 펼쳐지는데 풍경이 멋지다. 매일 이런 뷰를 볼 수 있다니 여기서 일하는 사람들은 참 좋겠다. 일하는 입장에서는 매일 봐도 감흥이 없을라나. 노벨상 시상자들의 무도회가 열리는 '황금의 방' 와! 진짜 와. 황금이 블링블링. 이곳은 눈으로 봐야지만 이해가 갈 듯. 써놓고 보니 재수 없는 발언같다. 층고가 매우 높은데 저 벽면들을 유리 조각과 금박 모자이크로 채우다니. "와!! 진짜 와!!" 스톡홀름에서는 역시 이곳이 제일 인상에 남았다. 여기서 드레스 입고 춤도 추는 것 일까? 노벨상 받는 사람들은 좋겠다. 나도 한번만 끼워줬으면 싶네.

2011년에 한 달 살기를 하면서는 스웨덴 말뫼, 룬드, 스톡홀름, 덴마크 코펜하겐, 독일 베를린 여행을 했었네. 시간에 쫓기는 여행이 아닌 현지인처럼 여유롭게 지낼 수 있었던 소중한 시간.

30대의 유럽 여행기 2

2014년 6월. 회사에서 2주간 휴가를 받아 스웨덴과 스페인에 다녀왔다. 스웨덴에 유학중인 친구 집을 베이스로 스페인 여행을 가는 것이 메인이벤트. 대학교 때, 바르셀로나에 다녀왔지만 바르셀로네타라는 해변이 있다는 것을 몰랐던 나. 언젠가 다시 방문해서 바다를 봐야지라고 다짐했다. 그리고, 행동에 옮긴 것이 14년 6월. 3년 전에 한 달 지냈다고 코펜하겐에서 내려서 트리앙엔역으로 오는 길이 익숙했다. 기내식에 지친 속을 달래기 위해, 도착하자마자 쌀국수를 한 뚝배기씩 먹고, 마리메꼬에서 50주년 세일을 해서 에코백과 파우치를 구입했다. 이때 산 에코백들은 나의 최애 백으로서 지금까지 잘 사용하고 있다. 역시 살까 말까 할 때는 사야해. 옷장 속에서 잠자고 있는 수많은 가방들을 흐린 눈으로 바라보면서 적어봅니다.

말뫼에 도착하고 3일 뒤에 바르셀로나로 혼여행을 떠났다. 여행 가기 전에 네이버 유랑카페에서 이벤트 응모 한 것이 당첨되어 가우디 집중투어도 무료로 듣게 되었다. 럭키 보돌. 숙소는 번화가에 있는 한인민박으로 정했고, 스페인 도착 후 저녁을 먹으러 스타벅스로 갔다. 카페 곳곳에 소매치기 조심하라는 안내문이 적혀 있는 곳을 보니, 10년 전 배낭여행 때 현우가 가방을 통째로 도둑맞았던 에피소드가 생각났다. 바르셀로나, 여전하구만. 첫날 저녁은 같은 방을 쓰는 한국인 여행자들과 수다 좀 떨다가 잤다. 내일은 가우디 투어 들어야하는데 왜 비 예보가 있지.

아침에 같은 방분들이 비가와도 잘 보고 오라고 응원해 주셔서 아침식사를 하고 오전 10시에 약속장소인 하드락 카페로 갔다. 구엘 저택, 레알 광장의 가로등은 도보로 이동해서 구경을 하고, 카사 비센스는 지하철을 타고 이동했다. 노란색 꽃과 초록색 잎의 타일이 예뻐서 인상적이었다. 컬러감이 어쩜 그래. 세상에나. 그리고는 전철을 타고 그라시아 거리로 이동. 가이드님이 지하철에서 가방 조심하라고 당부의 말씀. 여기 거주자들은 매일 지하철에서 긴장되겠다. 아님, 나같이 어리버리하게 생긴 관광객만 노리는 것일까. 후자가 맞을듯.

명품 샵이 즐비한 그라시아거리에서 설명을 들은 곳들은 카사 밀라와 카사 바뜨요. 카사 밀라는 다음 날 혼자 오기로 했고, 카사 바뜨요는 그렇게까지 관심이 없어서 패스. 점심 먹고는 사그라다 파밀리아로 이동했다. 2026년에 완공 예정이라는 얘기를 듣고 까마득하다는 이야기를 나눴었는데, 이제 내후년이다. 세월의 흐름 무슨 일이야. 완공되면 구경하러 바르셀로나 가고 싶다. 가이드님이 각 파사드의 의미와 비하인드 스토리들을 알려주셔서 재밌었다. 가이드 투어의 유용함을 이곳에서 가장 체감했다. 앞으로도 유럽 여행 갈 때는 일일 가이드 투어 이용 해 봐야겠다고 생각했다. 그 후로 13년 넘게 유럽 근처도 못가고 있는 나.

성당에서 지하철 타고, 버스 갈아타고 구엘 공원으로 이동했다. 이쯤 되니까 다리가 너무 아파서 관광버스로 구경하던 다른 팀들이 부러워지기 시작했다. 차 타고 내리고, 또 타고 내리고. 부럽잖아. 구엘 공원 올라가는 언덕이 진짜 힘들다고요. '꽃보다 할배'에서도 할배들이 또 언덕이냐고 성질냈었다고요. 사람들 인솔하고, 설명하면서 걸어가는 가이드님 체력에 진짜 감탄 할 따름이었다. 구엘 공원은 01년에 배낭여행 왔을 때도 방문했던지라, 추억이 방울방울. 촬영 스팟인 도마뱀 동상 앞에는 여전히 관광객들이 바글바글. 구엘 공원이랑 원수가 졌는지, 공원 맨 위에 있는 운동장에 있을 때부터 비가 내리기 시작해서 비를 맞으며 하산했다. 01년에 왔을 때도 비가 왔었는데 말이다. 그래도 이날은 우산을 가지고 있어서 다행이야.

공원에서 시내로 돌아와서는 야경투어 시작 전까지 1시간 30분의 저녁식사 시간을 주셨다. 혼자 왔던 지선씨와 같이 타파스 바에 가자고 의기투합. Orio라는 바에 입장했다. 스페인산 스파클링 와인 cava에 맛있는 안주들을 골라서 먹는데 순도 100퍼센트로 행복했다. 혼자서 타파스 바에 오기는 망설여졌는데 일행이 생기니 마음이 든든한걸. 수다 떨면서 바게트 위에 올라간 하몽에 연어에 절인 올리브 안주들을 먹었다. 아아 너무 좋다 진짜. 야경투어까지 마치고 숙소로 돌아오니 밤 10시. 민박집 사람들이 라운지에 모여서 술을 마시고 있었다. 보돌씨도 와서 같이 한 잔 하자고 했지만, 물리적으로 다리가 안 움직여서 침대에 누워 있을 수밖에 없었다. 오전 10시에 나가서 밤 10시에 귀가했는데 25,000보는 걸었던 것 같다. 그래도 가이드님 설명을 들으면서 다니니까 몰랐던 내용들도 알게 되어 즐거운 시간이었다.

가이드 투어 이후로는 혼자서 사브작 거리면서 고딕 보른지구 산책도 다니고, 그렇게 궁금했던 바르셀로네타 해변도 가 봤다. 백사장 옆으로 W호텔이 보이는데 풍경이 정말 멋진 걸. 네이버 검색하다가 알았는데, W호텔 근처로 가면 누드비치가 있다고 한다. 아, 난 아직도 바르셀로나에 대해 모르는 것이 많구나. 멀리서만 바라봐야지. 바닷가 구경을 하고는 까사 밀라에 올라가서 스타워즈의 '스톰트루퍼' 닮은 옥상의 장식도 보고, 예전의 생활 모습을 재현 해 놓은 아파트먼트 구경도 했다. 주인님의 서재 방 보다, 하녀복이 걸려있는 하녀의 방에서 곳날이 시큰 해 지는 것을 보니 나는 전생에 하녀였나봐. 방이 너무 좁잖아.

많이 걸었다 많이 걸었어. 바르셀로나에서는 하염없이 걸었다. 휴식을 위해 cacao sampaka에 가서 핫쵸코를 주문했다. 진짜 맛있더라. 진짜. 다음에 바르셀로나 갈 일이 있다면 꼭 마셔야지. 매장에서 내가 먹을 초콜렛이랑 케이코랑 마사에 언니 줄 선물도 좀 사고 숙소로 컴백. 혼자 여유롭게 다니겠다고 했지만, 밖에 나가면 별천지라 또 20,000보는 걸었던 것 같다. 내 다리 내놔.

다음 날은 쇼핑의 날. 이때 한창 바르셀로나 가면 에스파드류라는 신발을 사오는 것이 유행이었다. 충동구매의 여왕인 내가 질수는 없지. 매장에 가서 세 켤레나 사와서는 결국 제대로 신고 다닌 것은 빨간 색 한 켤레. 지난날을 반성합니다. 보케리아 시장에 가서 체리도 사먹고, bubo 라는 디저트 카페에 가서 상 받은 초콜렛 무스케이크도 먹고 신나게 다녔다. 바르셀로나는 볼거리와 맛있는 음식이 많아서 걷기만 해도 즐거웠다. 스웨덴은 할 일 진짜 없었는데. 몬주익 언덕 산책도 하고, 분수 쇼도 보면서 마지막 날 밤을 보냈다. 01년에 일행들이랑 다 같이 왔던 분수 쇼를 혼자 와서 구경하려니까 약간 쓸쓸했다. 다음에는 사랑하는 사람이랑 와야지. 01년,14년에 왔으니 13년 뒤인 27년에!? 사그라다 파밀리아 완공 된 것 보려면 26년에 와야겠지? 완공되려나? 결국 27년에 오는 것 아니냐. 언제라도 좋으니 바르셀로나는 꼭 다시 가고 싶다.

바르셀로나를 만끽하고 스웨덴 말뫼로 돌아왔다. 스페인의 활기참에 비교하니 (소매치기에 주의해야한다는 스릴까지) 스웨덴이 너무나 심심해서 옆 동네인 코펜하겐에 놀러갔다. 스웨덴 말뫼 역에서 열차를 타면 40분이면 덴마크 뇌레포트역까지 갈 수 있는데, 이때 마침 스웨덴 남부와 덴마크를 잇는 철도회사가 파업을 해서, 버스와 전철을 갈아타느라 1시간 30분이나 걸렸다. 내가 귀국하는 6일 뒤까지도 파업이 계속 되서 캐리어에 짐을 이고 지고 또 이 루트로 카스트럽 공항까지 가야했다는 후기. 하여간에, 이 날 친구의 추천으로 먹은 수제 버거가 지금까지 기억 날 정도로 맛있었다. 트러플 마요와 감자튀김의 콜라보. 옴뇸뇸. 코펜하겐 관광은 3년 전에 코펜하겐 카드를 사서 한번 돌아봤으니 이때는 백화점가서 식료품관과 인테리어 플로어 구경을 실컷 했다. 로얄 코펜하겐을 박스채로 사가던 중국인 관광객들이 얼마나 부럽던지. 나도 나중에 신혼여행으로 와서 그릇들 세트로 사가야지. 라고 생각했지만 10년이 지난 지금까지 싱글인 나. 야, 그냥 인터넷으로 사.

14년 유럽 여행 때 적었던 일기장을 발견한 김에 적어본다.

유럽여행을 다녀 온지 벌써 2주일이나 지났다. 다녀와서는 시차적응 때문에 일주일동안 너무 고생을 해서 앞으로는 시차가 있는 나라로 여행을 가고 싶지 않다고 생각했지만, 나는 알지. 기회만 있으면 언제든지 튀어 갈 것이라는 것을. 우헤헤. 일본은 이제 얼마 남지 않은 장마철을 지나 무더위를 향해 달려가고 있다. 내 방은 벌써 찜통. 어휴.

1. 비행기에서 본 영화들
- 용의자: 너무 재미없어서 보다가 껐다가 다시 보다가 껐다가의 반복. 박휘순 연기 어쩔. 공유랑 유다인 마저....
- 월터의 상상은 현실이 된다: 최고의 영화. 내용도 영상도 연기도 완벽했다. 재밌는데 교훈까지 주는 영화.

2. 비행기에서 읽은 책
- 높고 푸른 사다리: 흥남 철수에 대한 궁금증이 있어서 읽었는데 생각보다는 그냥 그랬다. '내가 주인공이었으면 평양냉면집 물려받아서 잘 먹고 잘 살았을 텐데'라고 생각.

3. 여행중 감동적이었던 순간

- 바르셀로나에서 에스파냐 광장 뒤로, 미술관 있는 쪽까지 산책했던 일. 바람에 나뭇잎이 사각거리던 소리와 청량감이 아직도 생생하다.
- 귀국 전날, 말뫼에서 entre 쇼핑몰을 가면서 강가를 따라서 하염없이 걸었던 일. 날씨가 환상적이었다.
- 코펜하겐 magazin 백화점 위의 리빙 플로어 갔을 때. 세상에나. 예쁜 소품들이 이렇게나 많다니 나중에 신혼집이 생기면 여기 와서 tax free 받아서 집을 채워야지 라고 야무지게 망상을 해 봤다.
- 바르셀로나 사그라다 파밀리아 성당 내부에 들어갔던 순간. 아! 이런 성당이 있을수 있구나. 햇살 가득한 그 내부. 건물 안이었지만, 숲속에 들어 와 있는 듯한 기분이 들었다.
- 말뫼의 바다사우나에서 몸을 식히려고 바다에 입수한 그 순간. 냉탕이 바다인 사우나라니. 멋지다.

4. 맛있었던 음식

- 바르셀로나 cacao sampaka에서 먹었던 생크림 얹은 핫쵸코. 큰 컵에 나왔던 애보다 얘가 짱짱맨이었다.
- 바르셀로나 orion의 핀쵸스와 스파클링 와인. 연어랑 올리브가 진짜 최고였다. 또 먹고싶네.
- 코펜하겐의 HACHE 버거. 버거도 버거지만 트러플 마요네즈가 진짜 캬아. 또 먹고싶다.

- 말뫼 chez madame의 프렌치토스트. 정말 다른 메뉴 말고 이것만 두 접시 시켰어야했어.
  Best french toast ever!

방콕여행 1

해외여행지 중에 가장 좋아하는 곳을 고르라면 방콕이다. 이것은 100프로 진심. 진심에서 한 발짝 더 들어가면 사실 하와이가 제일 좋기는 한데요. 하와이는 3박 5일이라는 짧은 기간만 체류했기에 말하기가 민망하다. '하와이 일 년 살기' 한 다음에는 자신 있게 말 할 수 있을 것 같다. 현재 경제 상황으로 가능한 것은 '부곡 하와이 일 년 살기' 정도...

헛소리는 접어두고, 방콕에 처음 간 것이 2015년 가을. 회사에서 2주간의 휴가를 계획하면서 도쿄-방콕-서울-도쿄의 스케줄로 찾아봤더니 의외로 항공권이 저렴한 것. 어차피 고국 방문은 해야 하니, 방콕 여행을 보너스로 끼워 넣게 되었다. 원래도 혼자 여행을 잘 다녀서 크게 두려움은 없이 방콕에서도 솔로 여행을 시작했다. 첫날은 밤비행기로 도착하니, 아속의 저렴한 호텔에서 1박을 하고, 다음날에 '만다린 오리엔탈 레지던스'로 옮겨서 3박을 했다. 숙소를 이곳으로 정한 이유는 인터넷에서 본 민트색 로비가 예뻤기 때문. 체크인 기다릴 때 오렌지 쥬스를 줬는데 상큼하고 달콤하고 비싼 맛이었다. 현실은 땀 흘리는 관광객 1인 이었지만, 마음만은 민트색 공주님 코스프레를 하며, 우아하게 체크인을 진행했다. 올라가니, 방도 예쁘고, 혼자 쓰기에 넓어서 체류기간동안 만족했다. 로비사진 보고 숙소 정했다는 이야기는 저도 처음 듣습니다만, 결과는 굿.

BTS 플런칫역에서 도보 7-8분 정도 거리에 위치했는데, 역으로 걸어가면 센트럴 엠버시라는 고급 쇼핑몰 이용이 가능했다. 체크인 하고는 엠버시에 있는 쏨분 씨푸드에 갔다. 대표 메뉴인 뿌빳뽕커리를 맛있게 먹고, 화장실 6번은 갔다. 맵고 기름져서 그런가봐여. 태국 음식을 좋아하기는 하지만, 자극적이어서 화장실이 확보되는 쇼핑몰이 아니면 움직이기 불안하다. 방콕은 BTS역에 화장실이 없어서, 긴급 상황에 화장실을 찾기가 힘들다. 이 날도 만약에 내가 야시장 같은데서 커리를 먹었다간... 네이버 태국여행 카페에 사진 올라올 뻔.

첫 번째 방콕여행에서 재밌었던 이벤트는 시암 쿠킹 스쿨에서 반나절 클래스에 참가했던 일. 선생님 시범을 보면서 똠양꿍, 팟타이, 치킨샐러드, 그린카레, 망고찹쌀밥을 만들어먹었다. 또 장트라볼타 이야기가 나오는데, 이 날 만든 그린카레가 집에 가는 길에 엄청난 복통을 일으켰다. 그린 카레 만드는 것을 보니까, 청고추를 절구에 빻아서 코코넛 밀크를 넣고 끓이는 것이더라구요. 오 마이. 똠양에, 팟타이에, 그린카레를 한 번에 먹었으니 내 장은 다이너마이트. 주택가에 위치했던 쿠킹 스쿨에서 최선을 다해서, BTS 역 근처까지 왔다. '카페라도 하나 보이기만 한다면 살아남을 수 있다..!!' 주변을 둘러보다가 오피스 빌딩 1층에 위치한 스타벅스를 발견했다. 후다닥 뛰어가고 싶었지만, 자극을 주지 않기 위해 엉금엉금 걸어서 카페에 도착했다.

아니 그런데 카페에 왜 화장실이 안 보여!! 절망해서 나오는데 배가 더 이상은 견디지 못할 것 같았다. 아아. 여기서 끝나는 것인가요. 그때 눈앞에 건물 관리인 분이 보이는 것. "미스터.. 토일렛 토일렛 플리즈." 했더니 "쩨껀 뻴로어"라고 하시는 것. 쩨껀 뻴로어가 뭐야 태국말인가. 하고 또 "토일렛.. 토일렛.."했더니 손가락으로 위를 가르키며 "쩨껀 쩨껀." 아아. 2층에 화장실이 있다고! 힘겹게 계단을 올라가니, 사무실들이 있는 빌딩의 공용 화장실이 있었다. 종로 르미에르 오피스 빌딩에 있는 것 같은 화장실. 덕분에 인간으로서 존엄성을 지킬 수 있었다. 진심으로 감사합니다. 관리인 분께 100바트라도 드리고 싶은 심정이었지만, 조용히 감사의 마음만 마음으로 전하고, BTS를 타고 귀가했다. 역시, 방콕에서는 쇼핑몰 근처에만 있어야 해.

두 번째 방콕 여행은 2016년 7월이었다. 친구가 방콕 출장을 가는데, 방이 넓으니 비행기 표만 끊어서 오면 같이 지낼 수 있다고 하는 것 아닌가. 다니던 회사가 연차내기가 쉬운 편이라서, 얘기가 나오고 삼일 뒤에 바로 방콕으로 향했다. 7만엔을 주고 JAL항공 티켓을 끊었는데, 숙박비가 안 들었으니 합리적인 것으로 혼자 셈을 마쳤다. JAL은 기내 알콜 메뉴가 다양해서, 진토닉에 우메슈에. 맥주가 아닌 다른 술들을 즐기며 방콕에 도착했다. 비행기서 마셨던 진토닉 맛을 잊지 못해. 이코노미 좌석에도 이런 은혜를 주시다니. 비즈니스 타면 얼마나 더 좋을 것이야 정말.

숙소는 아속에 있는 레지던스였는데, BTS에서 10분 정도 걸어가야 했다. 방콕은 인도가 좁고 블록이 깨진 곳이 많아서 걷기가 험난한 편이다. 그래도 방이 넓고 빌트인 세탁기도 있어서 만족했다. 게다가, 공짜잖아요. 히히. 친구는 출장으로 온 것이니, 주중에 일을 하고, 혼자서 한가롭게 방콕 거리를 걸어 다녔다. 작년에 한 번 왔었다고 친숙한 도시가 되어버린 방콕. 주말 하루는 힙스터가 되어보자며 (이 시점에서 이미 힙하지 못한) 미켈러 방콕에 택시를 타고 갔다. 녹음이 푸르른 민트색 단독 주택에서 마시는 수제맥주. 맥주잔에 태국 특유의 '사와디카~' 손동작을 한 일러스트가 그려져있어, 한동안 내 카톡 프로필 사진을 장식하고 있었다. 사진만 봐도, 정원의 풍경과 시원한 맥주 맛이 자동으로 떠올랐다. 이런 찰나의 기억이 그 여행의 컬러를 정하는 것 같다. 16년 방콕 여행의 컬러는 민트색. 생각해 보니, 작년에도 민트색 로비를 보고 방콕에 왔었잖아. 내 안의 방콕 = 민트색으로 결정한다.

이날 저녁으로는 유명 레스토랑 '블루 엘레펀트'에 예약을 하고 갔다. 드레스 코드가 있다고 해서, H&M에서 앞코가 막힌 신발까지 사서, 신고 갔건만 쪼리 신은 사람들도 잘만 입장했다. 무엇을 위한 쇼핑이었단 말이냐. 여행 오기 전에 봤던 박명수가 나온 여행프로그램에서 이 레스토랑의 '마사만 커리'가 천상의 맛이라 하는 것이다. 친구가 무료로 숙박을 제공 해 주었으니, 이날 저녁은 내가 대접했다. 양고기로 만든 커리라서 처음에는 거부감이 있었으나, 우리나라 갈비찜처럼 야들하니 얼마나 맛있던지. 사이드로 시킨 새우 바질 볶음은 이름부터 맛있고, 레스토랑 가면 항상 시키는 공심채 볶음도 불 맛이 제대로. 밥도 자스민 라이스 백미, 흑미 선택이 가능했다. 자스민 라이스도 흑미가 다 있구나. 별 일이야. 가격대가 있었던 만큼, 만족스러운 분위기와 맛이었다. 작년은 혼자서 와서, 먹을 수 있는 음식이 한정적이었는데 일행이 있으니 다양하게 선택할 수 있어서 좋구나.

하루는 작년에 가보지 않았던 촌농시와 실롬 지역을 구경했다. 친구인 케이코가 추천한 현지인들이 많이 간다는 태국 음식점에 가서 항정살 구이와 텃만꿍을 시켰다. 잘 먹기는 했는데, 여기가 왜 유명한 걸까 생각을 하며 케이코에게 인증샷을 보냈는데

"체크야. (케이코가 부르던 내 별명이 check 였다. 일본 사무실에서 건강검진 예약을 하는데, 'che'라는 내 성의 발음을 계속 못 알아듣는 것이었다. 그래서, 나도 모르게 큰 소리로 "영단어 check 의 che 라구요." 라고 소리를 질렀더니 사무실 사람들이 다 웃었다. 그 날 이후로 내 별명은 체크상이 되었다. 길고 길었던 tmi) 그 가게는 똠양 볶음밥이랑 쏨땀이 유명한데..." 생각해 보니, 케이코가 사진으로 보여줬던 메뉴도 무슨 볶음밥 이었던 것 같다. 미리 메모해서 올 것을.

그렇게 맛있는 가게에서 보통의 메뉴를 먹고 나와서는 걷다가 눈에 띄던 발마사지 가게에 들어갔다. 발마사지 시세가 300바트였는데, 이곳은 250바트라고 적혀있었다. 가격에 이끌려 들어갔는데, 남자 마사지사가 배정되었다. 보통은 여자분이 해 주셨어서, 약간 위화감이 들었는데, '뭐 남자면 마사지압이 좋겠지.'라며 오케이오케이. 왼쪽 발바닥에 티눈이 있어서 그 부분은 '노 터치' 해 달라고 손가락으로 가르키며 설명했는데, 마사지사 분이 '흥'하며 코로 웃는 것이었다. 이 애송이가 지금 내가 그것도 안 보이는 것 같냐는 뉘앙스

로...!! '아니, 어떤 실력이길래 이렇게 콧대가 높으신 것인가' 라며 발과 종아리를 내드렸는데, 세상에. 그때까지 받아 본 동남아 발마사지 중에 최고의 개운함이었다. 혈 자리를 알고 딱딱 집어주는 느낌. 거기에 파워까지 겸비한. 지금은 가게 이름도 기억 안 나지만, 인생 최고의 발마사지로 기억되는 곳이었다. 운명적인 발마사지는 이렇게 우연처럼 다가오는 것이었다. 그리고, 연기처럼 사라져버렸네.

방콕여행 2

세 번째 방콕 여행은 2017년 6월이었다. 샤이니의 방콕 콘서트를 보기 위해, 은영이랑 3박5일 여행을 떠났던 것. 항공은 저가항공인 스쿠트로, 호텔은 콘래드 도쿄로 묶인 여행 상품이 있다. 방콕 콘서트 티켓은 일본 대행업체를 통해 송영 서비스 포함 구입했는데, 나중에 보니 태국 사이트에서 쉽게 할 수 있는 티켓팅 난이도였다. 그렇게 19년에는 세븐틴 방콕 콘서트를 셀프로 예매해서 가게 되는데.. 이것은 2년 뒤의 이야기.

첫날은 도착해서 근처 쇼핑몰에서 가볍게 식사만 하고 끝내고, 피곤함에 기절했다. 방콕이 은근 멀다니까. 아닌가, 대놓고 먼가. 둘째 날이 콘서트 당일이어서, 아속역에서 12시30분에 집합했다. 공연은 18시부터인데, 스탠딩 입장을 빨리 하기 위해 가서 대기한다고 했다. 나중에 보니, 일찍 안가도 펜스 앞쪽으로 얼마든지 진출 가능했다. 당연히 제 1열 펜스까지는 못가도, 시작 30분 전에 가도 충분했음. 왜냐면, 2년 뒤 세븐틴 콘서트에서 그렇게 했으므로... 이날은 콘서트장인 썬더돔에 13시30분에 도착해서, 샌드위치랑 쥬스만 간단히 먹고, 방콕의 땡볕에서 2시간 동안 줄을 섰었다. 그렇게 줄을 섰는데 중간에 비가 쏟아져서 결국 줄이 다 흩어짐. 아놔... 아직도 내 몸의 세포가 반응하는 그날의 분노. 17

시부터 스탠딩 구역에 겨우 들어가서 자리를 맡았는데, 이미 우리 둘 다 체력방전. 한국에서 콘서트를 가도 이렇게 해 본 적이 없건만. 흑흑. 첫 해외투어 참가라 우여곡절이 많았다. 공연은 당연히 재밌었고, 가까이서 샤이니들을 봤으므로 만족했다. 단지, 다시는 대행업체 픽업 서비스까지는 이용 안한다고 다짐했을 뿐. 뭐.. 다 우리들의 자발적인 선택이었다. 누구를 원망하리오.

호텔로 오는 셔틀도 대행업체 픽업 이용자들과 함께 탔는데, 한 10명 됐나. 썬더돔에서 바로 귀국하는 사람들이 있다고 돈므앙 공항부터 갔다가, 방콕에 있는 호텔에 하나씩 떨궈주는 것이었다. 심지어 우리가 숙박하는 콘래드가 제일 마지막이었다. 아 놔... 공연 끝나고 숙소 돌아오는데 두 시간 걸렸다. 우리끼리 택시타고 왔으면 30분이면 왔을 것을. 아침 11시쯤 나가서 22시에 숙소에 도착한 우리들. 땀과 비에 젖은 몸을 씻고, 룸서비스로 스테이크, 똠양꿍, 쏨땀 등등을 시켜서 와구와구 먹었다. 너무 피곤하고 배가 고파서 스테이크 자르던 손이 달달 떨렸음. 11시간 동안 먹은 것이 샌드위치와 쥬스가 다였다니. 먹깨비 듀오에게 있을 수 없는 일. 담에 또 콘서트 보러오면 그때는 우리가 티켓도 셀프로 예매하고, 택시타고 오자고 둘이 약속했다. 그리고, 2년 뒤에 나 혼자 이때 다짐했던 스케쥴대로 진행했다.

원래 목적이었던 콘서트도 재밌게 봤고, 남은 이틀 동안은 방콕 관광의 시간. 방콕에 와서 짜뚜짝 시장, 카오산로드, 왕궁에 한 번도 안 가본 나. 셋째 날은 은영이랑 짜뚜짝 시장에 가보기로 했다. 우리가 갔던 6월이 더운 기간이기는 한데, 짜뚜짝은 야외라서 그런지 머리 뚜껑이 타들어 가는 기분이었다. 짜뚜짝에서 라탄백 사는게 유행이었던 시절이라, 라탄백 찾아서 삼만리. 겨우 가게를 찾아갔는데, 상인분이 1바트도 안 깍아줘서 빈정 상해서 나왔다. 얼마 안 해서 그냥 사도 됐지만, 태도가 너무 차가웠다구요. 은영이만 엄마를 위해 귀여운 소품 몇 개 사서 한시간만에 시장에서 후퇴했다. 얼마나 더웠냐면, 코코넛 아이스크림을 사자마자 줄줄 녹았다니까요. 진짜로!

호텔로 돌아오는 길에 오봉뺑에 가서 베이글 샌드위치랑, 스벅에서 커피를 사서 객실로 올라왔다. 밥 먹고 에어컨 틀고는 한 숨 자고 일어나서, 호텔 수영장에 갔다. 수영장 썬베드에 누워서, 아이패드로 유튜브 샤이니 영상들을 보던 우리들. 여기까지 와서 유튜브 보고 있는 모습이 어이없어서 둘이 웃었다. 그래도, 이 시절에 덕질은 원 없이 해서 행복했다. 세상 모든 일에는 때가 있는 것. 하고 싶은 것 있을 때 마음껏 하자. 시간 지나면 다 시들시들 해 지니까.

센트럴 엠버시 쏨분 시푸드에 가서 뿌빳뽕커리도 먹고, 인디고 호텔 루프탑 바에 가서 모히토도 마시고. 여행 마지막 날 밤을 신나게 불태웠다. 3박5일에 콘서트까지 하루 가는 일정은 매일 아침 공진단 먹어야 소화 가능한 것이구나. 이때는 그래도 어려서 아직 체력이 남아있었던 듯하다. 지난 두 번의 방콕 여행은 혼자 다니는 시간이 길어서, 좋기도 하고 심심하기도 했는데 세 번째 여행은 은영이랑 함께 해서 재밌었다.

네 번째 방콕 여행은, 2019년 11월이었다. 9월에 체조경기장에서 봤던 세븐틴 콘서트가 너무 재밌어서, 11월 방콕 콘서트도 덜컥 예매했던 것. 콘서트가 아니라도, 방콕은 좋아하는 도시니까 겸사겸사해서 휴가를 받고 홀로 여행을 떠났다. 17년 샤이니콘에서 배운 교훈대로, 티켓도 공연장 송영도 모두 셀프로 진행했다. 한 번 경험 해 봤다고, 두 번째는 수월하네. 이번 숙소는 프롬퐁에 있는 하얏트 플레이스. 방콕에서는 프롬퐁역이 있는 지역을 제일 좋아한다. 엠포리엄, 엠콰티어 쇼핑몰도 있고, 아침마다 룽르엉 국수도 조식으로 먹을 수 있고. 고메 마켓도 호텔 오며가며 몇 번이고 갈 수 있고 좋은 점 밖에 없다. 너무 좋아. 일년 정도 살고 싶어!! 이렇게 5박6일 일정으로 여행을 시작했습니다.

방콕에 와도 관광은 안하고, 쇼핑몰과 발 맛사지만 주

로 받는다. 짜뚜짝은 2년 전에 평생 한 번 갈 찬스를 썼으니 다시는 안가도 되고. 왕궁도 별로 안 당기고. 우선 룽르엉에 가서 똠양 비빔국수랑 물 국수 한 그릇씩 하고, 센트럴월드 차바트리에 가서 와인 안주용으로 쓴다며 나무 접시도 사고 (집에서 감자칩 담느라 딱 한 번 씀) 백화점서 꼬치도 사 와서 맥주 한 캔 사며 첫날밤을 보냈다. 루프탑 BAR고 뭐고, 숙소 돌아와서 샤워 싹 하고, 캔 맥주 마시는 것이 제일 편하다. 라고 쓰고는, 다음 날은 DAUM 카페에서 알게 된 동행을 만났다. 엠콰티어 쇼핑몰에 가서 램자런 시푸드도 먹고, 아속역 쉐라톤 호텔 리빙룸 재즈 바에 갔다. 혼자서는 엄두도 못 냈을텐데 일행이 있으니 좋구나. 재즈바에 앉아서 마티니를 마시는 나. 제법 멋져요. 사실은, 잔이 예뻐서 마티니 시켰는데 써서, 일행이 자신의 모히토랑 바꿔줬다. 역시 칵테일은 토닉워터가 들어가야 제 맛이지.

그리고, 세 번째 날은 세븐틴 콘서트. 콘서트 자체는 한국에서처럼 재밌었다. 택시타고 가려다가 인터넷 찾아보니, 모칫역에서 셔틀버스 타고 가면 된다기에 50바트 내고 현지인들과 버스를 탔다. 공연시작 30분 전에 도착했더니 딱 좋더라. 샤이니 콘서트 때는 사서 고생 너무나 했던 것. 이 글을 쓰는 현재는 콘서트고 아이돌이고 전혀 관심이 없어졌으므로, 역시 모든 것은 한 때라는 것을 한 번 느낀다.

호텔로 돌아와서는 방에서 맥주 한 캔 하려다가, 호텔 위의 라운지 바에 올라가봤다. 오, 사람도 없고 좋구나. 살랑이는 바람을 맞으며, 코스모폴리탄 칵테일 한 잔. 캬. 신나서 하이네켄도 한 잔 추가해서 마셨다가 다음 날 숙취로 고생했던 것만 빼면 즐거운 밤이었다. 이 여행 때는 4일 동안 아침은 무조건 룽르엉 똠양 국수에, 세븐 일레븐에 들려서 아이스 커피를 사서 오는게 일과였다. 프롬퐁에 숙박해서 가능했던 스케쥴. 역시 프롬퐁 최고시다.

다섯 번째 방콕 여행은, 23년 5월이었다. 5월 중순부터 새 회사 출근 예정이었다. 에어 프레미아 왕복 항공권이 25만원 밖에 안 하기에 출발 일주일 전에 급 지른 여행이었다. 5월은 워낙 더워서인지 이때 아시아나도 왕복 28만원 밖에 안 했었다. 티켓 가격이 저렴하다면 더위도 견딜 수 있지.

여행 가기 4일 전에 감기에 걸려, 여행가서는 코가 막혀 맛을 느낄 수 없었다. 숙소는 역시나 프롬퐁. 오크우드 레지던스였다. 조식으로 룽르엉 실컷 먹으려고 호텔을 여기로 했는데, 감기 때문에 맛이 안 나서 한 번 먹고는 못 먹었다. 지금까지의 방콕 여행 중 가장 식욕이 없던 여행. 그래도, 이때 갔던 포시즌 호텔의 카페가 너무 좋아서, 다음에는 꼭 숙박을 하러 와야겠다고 다짐했다. 호텔 라운지 카페의 온도, 습도, 향기 못 잊어!! 로또 되면 혜정이랑 가려고 했는데, 아직도 로또가 안 되서 못가고 있는 현실.

컨디션 난조로 다섯 번째 여행은 크게 한 일은 없고, 밥 먹고 마사지 갔다가 숙소 와서 휴식을 취한 것이 전부였다. 그래도, 프롬퐁역 앞에 있는 마사지 가게의 JOY라는 직원 분을 알게 되어 삼일동안 예약해서 피로를 풀 수 있었다. 원래 발만 받는데, 마지막 날에 타이마사지까지 받았음. 대만족. 다음 여행에 가도 JOY님이 계실까. 또 만나고 싶다. 마사지 받을 때 그냥 문질 문질만 하는 분들이 있는 반면, 열심히 해 주시는 분들도 있더라. 맡은 일을 열심히 하는 사람들은 뭘 해도 티가 난다. 방콕은 마사지 받고, 팟타이만 먹어도 충분히 만족스러운 곳이다. 아니아니 기왕이면, 쏨땀, 무삥, 똠양꿍도 다 먹을래. 앞으로도 질리기 전까지는 일 년에 한번 씩은 가고 싶다. 희희.

여행을 다니다보면, 궁합이 맞는 나라와 도시들이 있는데, 방콕은 나와 궁합이 잘 맞는다. 그냥 편하고 좋다. 태국 요리를 좋아해서 그런가!? 에라완 사원가서 기도하면 이뤄진대서 네 번이나 갔는데, 아직도 안 이

루어지고 있네. 소원 빌러 올해 내로 방콕에 다시 한 번 가야겠다. 샤머니즘 최고. 이 책의 인세를 받아서!? 갈 수 있을까!? 그것 보다 로또 1등 될 확률이 더 높을 것 같다는 비정한 현실.

[번외편]

코로나 얼리어답터 1

언젠가 한 번은 정리해서 적어두려 했다. 나의 코로나 투병기. 내가 병에 걸렸던 2020년 4월은 확진자 동선이 공개되던 시절. 나름, 코로나 얼리어답터였다. 코로나 선구자. 코로나 기미상궁. 12년간의 일본생활을 정리하고, 2020년 4월말에 귀국 예정이던 me. 회사는 4월 15일까지 출근 예정이었고, 거주하던 방은 4월 30일자로 계약 만료 예정이었다. 그리고 나는 친구네 집으로 옮겨서 일주일 정도 놀다가, 5월에 한국으로 영구귀국을 할 예정이었다.

2020년 3월 25일에 나와 함께 퇴사하는 사람들이 총 3명, 송별회가 있었다. 일본은 코로나 걸린 임산부가 병원에 입원을 못해서 사망하고, 자택 격리중에 사망한 샐러리맨 등등. 흉흉한 코로나 뉴스가 매일 보도 되고 있던 시절. 10명이나 모여서 술자리를 한다니 가고 싶지 않았다. 그런데, 타이틀이 내 송별회니 안 갈수도 없는 노릇. 그 전 주말에 마사에 언니랑 점심먹으면서 "다음 주에 송별회 진짜 가기 싫어요. 이런 시기에 왜 굳이 술을 먹겠다고 난리인지" "요즘에 진짜 위험하니까, 조심조심 해" 라고 이야기를 나눴었다. 이때 아마 무의식적으로 위험하다는 것을 느꼈던 듯. 식은땀난다. 인터스텔라처럼 시간을 돌려서 송별회고 나발이고, 회사를 당장 그만두라고 말해주고 싶음.

송별회 3-4일 뒤부터 참가자 열세 명 중에, 두 명이 감기기운이 있다며, 출근을 안 하기 시작했다. 이때 일본은 pcr 검사가 거의 불가능해서, 감기라고는 하지만 코로나 같다고 수군거리기 시작했다. (결국, 두 명도 코로나였다.) 당시는, '나랑은 무슨 상관이겠어' 라고 생각했다. 그런데, 4월 1일. 반차를 내고 은행에 가서 볼 일을 보는데 몸이 너무 이상했다. 뭐라 설명 할 수 없이 이상했다. 어지럽기도 하고, 속이 미식거리기도 하고, 눈앞이 팽팽 돌기도 하고. 오전 반차였기 때문에 오후는 사무실 가서 근무를 했다. 앉아있기도 힘들어서, 겨우 시간만 보내고 집으로 갔다.

다음 날 회사는 안가고, 동네 병원에 가서 감기약을 지었다. '귀국 전이라 짐 정리하느라 피곤해서 그럴거야. 감기약 먹고 일주일정도 쉬면 낫겠지.'라며, 그때부터는 집에 콕 박혀서, 회사도 가지 않고, 밥 먹고 약 먹고 잠만 잤다. 그런데 점점 증세가 심해졌다. 이마에 해열 시트를 붙이면 바싹 마를 정도로 열이 났다. 다리가 저리는 근육통에, 설사도 했다. 내 인생에서 이렇게 아픈 건 처음이었다. 약을 먹고, 물수건을 대고, 무슨 짓을 해도 열이 떨어지지가 않았다.

식욕이 없던 적이 없는데, 목구멍으로 밥이 안 넘어갔다. 요리 할 기운도 없어서, 간장 계란밥을 해서 두 숟갈 뜨면 다음부터 밥알을 씹기도 싫었다. 기운 차리려고, 겨우 슈퍼에 가서 비싼 소고기랑 딸기도 사봤다. 그런데, 소고기 맛이 쓰고 느끼해서 삼킬 수가 없었다. 아마 이때부터는 후각 미각도 상실됐던 것 같다. 작은 이모가 감기에는 생강 갈아서 꿀물을 타먹으면 직방이라고 해서 생강을 사서, 강판에 갈고 있는데 이상했다. 생강 냄새가 하나도 안 났다. 아 망한 것 같다. 냉장고의 김치통을 꺼내서 냄새를 맡아봤다. 김치 냄새가 아니고, 형용 할 수 없는 냄새가 났다. 본격적으로 망한 것 같다.

이렇게 혼자 방에서 끙끙댄 것이 열흘 정도였던 것 같다. 컨디션이 좋았던 날도 있고, 아닌 날도 있고. 코로나 같기도 하고, 아닌 것 같기도 하고. pcr 검사를 받을 수도 없고, 한국에 있는 가족, 친척, 친구들은 매일 괜찮냐고 연락이 오는데 나도 내가 지금 어떤 상황인지 판단이 안됐다. 부모님은 걱정 되서 전화로 매일 난리가 났는데, 난 그 전화를 받는 것도 힘들 정도였다. 한국 대사관에 전화도 해보고 하셨는데, 딱히 방도는 없었다. 낮에 정신이 좀 들 때는 넷플릭스 보면서 시간을 겨우 때웠다. 이때 드라마 '봄밤'을 정주행 했는데, 마지막 화는 아직까지 안보고 있네. 몽롱한 정신에도 입가를 씰룩대며 드라마 보던 기억이 난다. 아픈 와중에도 농협 다니는 한지민 구남친은 욕하면서 봤네.

살아서 한국에 귀국은 가능할까. 열이 내리고 부터는 기침이 끊이지를 않았다. 메트로놈처럼 아주 규칙적으로 기침이 터져나왔다. '콜록 코올록.' 특히, 밤에 심해서 한 숨도 못자다가, 아침에 겨우 잠들기를 몇일을 반복. 이러다 죽는거구나 싶었다. 밥은 도저히 안 넘어가서, 아는 언니가 보내준 인스턴트 계란죽 조금 먹고 약 먹고 그랬다. 먹는 것이 힘들어서 식사시간이 무서운 기분은 처음이었다. 먹지도 못하고, 움직이지도 못하고, 잠도 못자니 체력이 나날이 떨어져갔다. 내 한 몸 가누기가 이렇게 힘들다니. 나중에 병원 가서 보니 2주 동안 4키로가 빠졌더라.

종합감기약을 먹고 버티다가, 약이라도 타볼까 해서, 마스크 꽁꽁 싸매고, 맨 처음 감기약을 탔던 동네 병원에 가봤다. 내 몰골을 보더니, 선생님이 산소포화도부터 재보았다. 내 기억에 93 정도였다. 보통 95이하면, 위험하다고 했다. 선생님이 아무래도 폐렴 같다면서, 렌트겐을 찍자고 했다. 사진을 찍고 봤더니, 폐가 눈 내리는 밤처럼 하얬다. 당신은 폐렴입니다! 렌트겐 사진을 보고는 선생님이 바로 나를 격리시키고, 보건소에 전화를 했다. 그리고, 피를 3통을 뽑고, 집으로 귀가 조치 당했다. "피 검사를 보건소에서 하고, 나한테 직접 전화를 줄 것 이다. 보건소에서 pcr 검사를 위해 대학 병원을 지정 해 줄 것 이다. 그 곳에 가서, pcr 검사를 받아라." 다음 날, 보건소 담당자한테 전화가 왔다. 피 검사 했을 때 산소량이 낮다고, 혹시 너무 아프면 구급차를 부르란다. pcr 검사를 받을 대학 병원을 수배 할 때까지 시간이 좀 걸린다고 했다. 검사 받기 전에 먼저 죽을 것 같다야. 코로나 증세로 구급차 불러도 병원 배정 못 받은 뉴스만 주구장창 나오는데 뭔 119 구급차 타령이여.

보건소 담당자한테 이틀 뒤에 다시 전화가 왔다. pcr 검사를 받을 병원을 수배했다고 한다. '오 드디어 나 pcr 검사 받는 것이여!' 내일 집에서 도보 30분 거리의 대학병원에 가서 검사를 받으란다. 동네 병원서 피 뽑고 대학병원에 가기까지 3일 걸렸다. 타국에서 혼자 사는데 병원까지 태워줄 가족도 없고, 대중교통은 타지 말라고 하니, 폐렴에 호흡도 안 되는 몸을 이끌고 40분을 걸어서 병원에 도착했다. pcr 검사를 하고, ct를 찍고, 그 날로 바로 격리 병동에 입원했다. 이 날 가장 큰 고통은 사타구니 채혈이었다. 여기서 피 뽑아 본 적은 처음일세. (후에 한국서 한 번 더 하게 된다.) 그런데, 검사 받고 바로 격리된다고 누가 말씀이라도 해 주셨으면 제가 짐을 좀 챙겨 왔을 텐데요. pcr 검사 결과가 내일 나오는데 그때까진 아무데도 못 나간다고 했다. 핸드폰 충전기도, 갈아입을 옷도, 물 한 통도 뭣도 없는데 못 나간다고요. 미리 말 좀 해 주지... 한국은 pcr 검사 받고 우선 귀가했다가, 양성이면 구급차가 데리러 온다고 봤는데, 여긴 그냥 못나가는 시스템이었다.

폰 배터리 나가기 전에, 얼른 은영이한테 연락해서 입원 물품을 가져다 달라고 부탁을 하고, 외출복 그대로 침대에 몸을 뉘였다. '아..목마르다.' 간호사님께 물은 어떻게 마시냐니까, 지금 코로나 때문에 정수기는 사용금지고, 매점에서 페트병 물을 살 수 있다고 한다. "지금 매점가도 되나요?" 아니아니 절대 나갈 수 없단다. 그럼 물을 어떻게 사냐고 했더니, 매일 오전에 간호사들이 환자들이 현금을 주면 그 돈으로 매점에서 물이나 필요한 용품을 사다 준다고 했다. 내일 양성으로 나와서, 병동 배정 받으면 그때 간호사에게 현금을 전달하고, 몇 시간 뒤에 물을 사다주면 마시면 된단다. 이야기를 듣고 은영이한테 바로 카톡해서 500미리 생수 4통을 꼭 사다달라고 했다. 간호사님 심부름 보다 심양파의 구호물자가 빠를 것 같았다. 목이 너무 말라서 수돗물로 가글만 했다. 칫솔도 세안용구도 수건도 뭣도 아무것도 없었다.

목은 마르고, 옷은 불편하고, 입은 텁텁하고 난데없이 입원해서 누워 있을라니 잠이 올 리가 없지. 콧구멍에 산소 튜브 같은 것도 끼워주시기에 그거 끼고 킁킁 거리면서 울다가 잠들었다. 나중에 명세서보니 산소튜브 비용도 추가되어 있더라. 2주 동안 집에서 혼자 앓다가 결국 입원을 하기는 했는데, 이제 여기서 또 언제 퇴원해서, 귀국은 어떻게 하고, 지금 집은 4월말이면 계약 만료인데 미치겠다 진짜. 회사 퇴직도, 집 계약도 4월 말이면 만료가 되기 때문에, 그 사이에 퇴원을 해서 귀국을 못하면 복잡해졌다. 지금은 그나마 회사 건강보험이라도 적용되지, 퇴직처리 되고 난 다음에 혹시라도 다시 아프면 아휴. 병원비가 아찔하다. 어떻게든 4월내로 나는 귀국을 해야 한다. 내가 이 걱정을 왜 했냐면. 지금은 바뀌었을지도 모르지만, 내가 입원했을 당시에는, 일본 코로나 입원시 이렇게 진행 되었다.

입원 첫날 검사비, 1인실 입원비는 본인 부담. 건강보험 적용되서 4만엔 정도 나왔다. pcr 양성이 나온 후부터 퇴원까지는 나라에서 부담 해 주는데 우선 병원비는 선불로 내가 대학병원에 내고. 퇴원 후에 서류 한 20장 써서, 영수증이랑 같이 보건소에 보내면, 보건소에서 한 달 뒤쯤에 병원비를 나에게 입금 해 준 댄다. (15만엔 가량) 퇴원하고 나는 귀국을 하고, 캇층이랑, 성미언니가 도와줘서 겨우 서류 내고 환급 받았다. 온

라인으로 왜 안 되냐는 의문은 일본에서는 가지면 안 된다. 이건 살아 본 사람만 알 수 있지.

다음 날 아침, 나의 pcr 검사는 양성으로 나왔다. 1인실에서 4인실로 이동 되었다. 은영이가 짐을 한보따리 가져다줘서 간호사님이 전달 해 주셨다. 물 500리터 원 샷 때리면서 고마움에 눈물을 흘렸다. 휴 드디어 양치도 할 수 있어. 글로 쓰고 보니, 입원하고는 되게 씩씩 해 보이는데 이때도 나는 밤마다 기침을 하며 숨쉬기도 힘들었다.

코로나 얼리어답터 2

일본 대학병원 여성 4인실에 배정 된 나. 이제 여기서 2번의 음성 결과를 받아야만 퇴원 할 수 있다. 4월이라 쌀쌀했는데, 에어컨 히터가 안 들어오는 창가자리여서 진짜 너무너무 추웠다. 손가락에 계속 산소포화도 기계를 끼고 있어야 해서 힘들었다. 오른쪽 팔에는 응급상황에 대비해서, 바늘도 계속 꼽아놓고 있어서 구부릴 때마다 아팠다. 가방에 다행히 이북이 들어있어서, 심심하면 책 읽고, 티비카드 충전해서, 티비를 보거나, 일기를 쓰거나 하면서 시간을 보냈다. wifi는 당연히 안 되지요. 시간 때우는 것이 큰일이었다.

내 침대 건너편에는 70대 여성분이 계셨는데, 남편분과 같이 코로나에 걸려서 응급실로 왔다고 했다. 연세도 많으신데 기침이 잦으셔서 고생이 많으셨다. 내가 입원하고 한 4일 뒤에 음성이 나와서 퇴원 하셨다. 내가 한국인이라니까, 자기가 이중섭 작가를 좋아해서 제주도에도 다녀온 적이 있다고 했다. '이건희展'에 가서 이중섭 작가 작품을 볼 때, 이 분 생각이 났다. 지금은 건강하게 잘 지내시겠지. 그 옆으로는 30대 여성분이셨는데, 활발한 분이셨다. 병원 생활 이것저것 알려주시기도 하고, 간호사 분들과도 친하게 지냈다. 알고 보니 이 분은 위급해서 중환자실에서도 꽤 오래 있다가, 4인실로 내려오셨다고 했다. 그래도, 나보다 이틀 전에 음성 두 번 나와서 퇴원 하셨다. 나가면서 사용 안 한 마스크도 나눠주시고 친절하셨다. 내 옆 침대 아주머니는 진짜 단 한마디도 안하고, 음성 나오는 것만 기다리고 계셔서 대화를 나누지 않았다. 이 분도 나보다 먼저 퇴원했었음. 부럽다.

내 건너편에 있던 분 퇴원하고, 들어오셨던 분이, 고양이 키우던 집사님이여서, 같이 고양이 사진보고 수다도 떨며 친해졌었다. 그분이 배고플 때 먹으라며 초코파이도 나눠주고 해서, 같이 냠냠. 독신 여성분이라, 입원 중에 고영이들 은 펫호텔에 맡겨두고 왔다고 했다. 아비니시안 2마리였는데 사진만 봐도 너무 귀여웠다. 걔네 호텔비만 하루에 몇 천엔 이라서 빨리 퇴원해야겠다고 둘이서 농담 아닌 농담을 나눴다. 중간에 그분은 상태가 좀 안 좋아지셔서, 약도 먹고 고생 하셨다. 퇴원 할 때는 내가 가지고 있던 물이랑 여성용품이랑 샤워시트랑 다 드리고 나왔다. 어차피 난 귀국할거니까 다 버려야 된다고 제발 받아달라고! 눈물 글썽이며 쉰 목소리로 고맙다고 하던 모습이 생각난다. 그러면서, 나한테 또 초코파이를 주셨다. 이 병실에서 나눌 수 있는 것은 초코파이랑 생수밖에 없네. 첫날의 기억에 생수에 매우 집착함.

일본 병실도 밥은 잘 나왔다. 메뉴가 다양해서 매끼의 메뉴를 궁금해 했었다. 입원복은 하루에 300엔씩 내고 렌탈을 해서 입어야 했다. 자기가 가져온 옷이 있으면 그거 입어도 되는데, 난 땀을 많이 흘려서 렌탈을 했다. 일본 병원의 일과. 오전 6시에 기상. 혈압과 체온 측정. 아침 식사. 약은 따로 주지 않는다. 내가 가지고 있던 기침약 먹어도 되냐고 물어보니까, 먹으라고 했다. 나 폐렴 아니냐...? 이게 다냐...? 뭐 없냐...? 병원에 두는 것이 치료가 목적이 아니고, 일반인들에게서 격리하는 것이 목적 같았다. 중증 환자들에게는 다른 처치가 들어갔겠지만 말이다. 점심 먹기 전에 또 혈압, 체온. 오후 6시쯤에 또 반복. 오후 10시에 소등. 내가 입원 했을 때 일본 원로 코미디언인 시무라 켄이 코로나로 사망해서, 티비만 틀면 그 뉴스가 나왔었다. 병원서 그 뉴스 보고 있으려니 남의 일이 아니더라.

pcr 검사는 입원 이틀 차에 음성이 나왔다. 얏호. '역시 집에서 다 앓고 온 것이라서 이제 퇴원인가봐'라며 김칫국을 마시던 나. 이틀 뒤의 검사에서는 양성이 나왔다. 절망과 좌절. pcr 검사는 이틀에 한 번씩 받았다. 6일차에 음성 나오고, 8일차에 음성이 한 번 더 나와서, 9일차에 퇴원했다. 입퇴원시 행정 처리는 역시 아날로그의 민족답게 답답한 포인트들이 있었지만, 의사선생님들과 간호사선생님들이 친절하셔서 위안이 됐다.

9일차에 코로나 음성이라는 진단서도 떼고, 짐정리 해서, 퇴원을 했다. 왜냐면, 그 다음날 귀국을 했기 때문이다. 음성 나오자마자, 귀국 비행기를 예약했다. 집 계약기간이 일주일도 남지 않아서 큰일이었다. 얼른 한국으로 돌아가야 해. 다행히 회사 동료가 집에 남은 물건들은 다 처분 해 주기로 해서, 내가 가지고 갈 짐만 저녁에 챙겼다. 퇴원 할 때는, 안 걷다가 40분 동안 집까지 걸으려니까 골반이 아팠다. 그래도, 퇴원하니까 살만 하다고, 길가의 벚꽃 사진도 찍었다. 내가 좋아하는 겹 벚꽃. 일본에서 마지막으로 보는 벚꽃이었다. 다시는 외국에서 혼자 안 살겠다고 다짐한 날이었다.

밤새 짐정리를 하고, 잠은 거의 못 잔 상태로 NEX를 타고 나리타공항으로 향했다. 관광객으로 붐비던 공항 열차도, 공항도 모두 썰렁했다. 당연한 일이지만 말이다. 인천공항 도착해서, 검역하는 곳에 일본에서 입원했다가, 음성이 두 번 나와서 퇴원했다고 신고를 했다. 그리고는, 바로 인천 공항 근처 숙소로 격리되어 또 pcr 검사 받았다. 전날 저녁은 공항에서 김밥을 주셨고, 다음 날 아침은 샌드위치와 바나나 우유를 주셨다. 역시 밥의 민족. 게다가 물도 주셨다. 생수 너무 소중함. 그리고, 어제 한 pcr 검사 결과가 양성이 나온 나는 동대문에 있는 중앙의료원으로 이송되었다. 지금이면, 코로나에 걸렸던 사람은 전염력이 없어도, 남아있는 바이러스 찌꺼기 때문에 검사 결과가 양성이 나오는걸 알고 있다. 그때는 미지의 병이었던 코로나. 분명 음성 두 번이 나와서 퇴원을 했건만, 한국 와서는 또 양성이 나오는 미스터리. 이렇게, 다시 입원하러 앰뷸런스에 실려서 떠나게 되었다. 집에서 혼자 앓던 시간부터 일본 병원 입 퇴원까지 약 한 달이었는데 아직도 안 끝났다니. 하늘이시여.

구급차를 타고 국립중앙의료원에 도착했다. 병실로 입실하기 전에, ct 촬영과 다른 검사들을 야외에 있는 컨테이너에서 받았다. 그 후에, 방호복을 입은 의료진들이 8층에 있는 병실로 안내 해 주셨다. 나의 첫 음압병실. 만나서 반가워. 일본에서 입원했을 때는 일반병실이었고, 화장실과 샤워실이 공용이라 복도를 걸어 다닐 수는 있었다. 하지만, 음압병실은 병실문 밖으로 한 발짝도 나갈 수 없었다. 그래도, 여긴 무려 1인실이었다. 내가 입원했을 때는 확진자가 소강상태였고, 마침 내가 들어온 병실에 있던 분이 바로 전날에 퇴원을 했다고 한다. 타이밍에 따라서는 다인실 사용하는 분들도 있다고 했다. 코로나에 걸린 것은 재수 없지만, 코로나 환자 중에서는 운이 좋은 편 아니냐며 웃픈 생각을 했다.

삼시세끼 밥도 잘 나오고, 배고플 때 먹으라며 간식도 한 번 주셨다. 심지어 입원 시에 냉장고에는 물이 4통이 들어있고, 식사 때나 환자복 갈아입을 때마다 말씀

드리면, 물을 얼마든지 주셨다. 일본서 입원하고 물에 한 맺힌 사람이라 매우 민감. 여행용 세면세트도 준비되어 있어서 감동했었다. 대한민국 만세. 이때 '부부의 세계'랑 '슬의생'이 한창 인기일때라, 누워서 맨날 '부부의 세계', '슬의생', '맛있는 녀석들'. 이렇게 돌려봤다. 뿌의 세계는 재방송을 얼마나 하던지 징글징글 할 정도였다. 채혈하러 오시는 간호사 선생님들이랑 어제 봤냐면서 이태오 욕 하던 것도 소소한 추억.

이전에 말했듯이, 일본 병원에서는 치료를 받은 것이 아니라서, 몸 상태가 좋지 않았다. 기침도 많이 나고, 폐렴 후유증인지 호흡도 많이 딸렸다. 삼시세끼 도시락과 함께 증상에 맞는 약을 주셨다. 병실에 갇혀있으니, 활동량이 없어서 잠을 잘 못 잘까봐 걱정했는데 약 덕분에 매일 꿀잠이었다. 일본에서는 잠을 잘 못 잤어서, 좋았다. 확실히 잠을 잘 자야 회복이 되더라구요. 기침뿐 아니라, 몸이 약간만 이상한 것 같아도 바로 담당 선생님이 전화로 문진하고, 해당 약을 처방 해 주셨다. 입원하면서 방광염, 대상포진을 앓을 때마다 신속하게 치료를 받을 수 있었다. 대한민국 만세. 면역력이 떨어지면 몸이 어떻게 고생하는지 경험 할 수 있었다. 건강은 너무나 소중한 것. 상큼한 과일이 먹고 싶었던 어느 날에는 마법처럼 후식으로 오렌지가 나왔다. 내 마음의 소리가 들렸나요. 영양사님. 입원 중에 떡볶이랑 아이스 라떼가 얼마나 먹고 싶던지, 퇴원하자마자 시켜먹었다.

음압병실에서의 나날 중에 가장 힘든 것이 뭐였냐면. 일주일에 두 번 있는 채혈 및 pcr 타임도 아니고 (일본에서부터 내가 pcr만 12번 받았다고요) 갇혀있다는 갑갑함도 아니요. 대체 언제 나갈 수 있냐는 불확실성이었다. 상기도, 하기도 음성이 두 번 연속으로 나와야 퇴원가능한데, 하기도에서 자꾸 양성으로 나왔다. 이주일이 넘어가니 정신적으로 너무 지쳐갔다. 사실 채혈 시간도 공포스러웠다. 왜냐면 난 건강검진 가면 혈관이 안보여서 맨날 두, 세번씩 찔리는 사람이므로. 그런데 여기서는 일주일에 두 번씩 채혈해서 검사 받아야 했다. 얼마나 아프던지. 간호사 선생님들도 손에 장갑을 착용해서 둔해졌다며 미안 해 하셨다. 제가 더 죄송합니다. 정말 채혈이 안 되던 하루는 발목 까지 한 10군데는 찔렀는데도 안 나와서 나도 울고 선생님도 울 지경이었다. 엉엉. 나도 혈관이 선명한 환자가 되고 싶어요.

어느 날 아침에는 지난번에 한 pcr 검사가 나왔는데, 상기도는 음성, 하기도는 양성이였다. 오늘도 탈출은 불가능하구나. '이러다 한 달 넘기는 것 아니냐.' 점심 먹고, 맛있는 녀석들 보다가, 한숨 자다가, 저녁 먹기 전에 샤워하려고 일어난 순간!! 내 입원실의 내선전화가 울리는 것 아닌가. 담당 의사선생님이셨다.

"네"
"삼일 전에 방역방침이 변경되어서요. 환자분은 일본에서 두 번 음성이 나왔다가, 양성이 나온 것이죠."
"네"
"재양성 환자는 전염력이 없는 것으로 판단되어 이제 퇴원하셔도 됩니다."
"오늘 아침에 양성 나왔어도 나갈수 있어요?"
"네. 바이러스가 남아있어서 pcr 검사가 양성으로 나올 수는 있지만, 전염력은 없습니다. 오늘 퇴원하시면 됩니다."

헐. 지금 오후 4시..? 나 강릉으로 내려가야 되는데..? 표 있나..? ktx 표를 검색하니 서울역에서 7시쯤 출발하는 티켓이 남아있었다. 급히 발권하고, 샤워를 했다. 생각 해 보니, 몇 일전에 뉴스를 봤을 때, 재양성 환자는 전염력이 없는 걸로 간주된다는 내용이 나왔었다. 그때는 침대에 누워서 '남의 일'이라고 생각하면 봤는데, 이게 '내 일'이라니. 오 마이 갓.

캐리어에서 필요한 짐들 빼서 사용하는 정도였으니, 짐 따로 쌀 것은 없었다. 퇴원 할 때 입을 옷과 신발을 가족들이 보내주면, 그걸 간호사실에서 보관했다가, 마지막에 병실로 전해줘서 갈아입는다고 했다. 엄마가 보내줬던 옷을 간호사 선생님이 가져다 주셨는데 옷이 웃겨서 그 정신없는 와중에도 둘이 보면서 깔깔 웃었다. (바지를 뭔 장터에서 파는 고쟁이 같은걸 보내줬다.)

1층 택시 타는 곳까지 간호사 선생님들이 캐리어도 들어주시고, 택시가 안와서 카카오 택시로 불러주시기까지 했다. 한국 의료진 진짜 최고. 배꼽인사 열 번하고 택시타고 서울역에 도착했다. 참, 한국 병원서 퇴원할 때는 얼마 냈는지 아세요!? 무슨 서류 뽑느라 만원 낸 것이 전부였어요. 대한민국 만만세! 강릉 집에 내려와서는 다음 날에 바로 치즈 추가한 응급실 떡볶이를 시켜먹었다. 여수언니 유튜브 보면서 얼마나 먹고 싶었는지 모른다고요. 우리 집 거실에서 아이스 라떼랑 떡볶이 먹었던 순간의 희열. 일상의 소중함을 느꼈다.

[2개월이라는 격리 생활 동안 내가 느낀 점]

1. 가기 싫은 모임은 가지 말자.
그 송별회만 안 갔어도 코로나에 안 걸렸을 것이다.

2. 내 인생 최고의 친구는 나 자신.

2개월 동안 자신과 가장 많은 시간을 보내고 보니,
뭐랄까, 세상 다른 사람들에게 별 관심이 없어졌다.
원래는 다른 사람들한테 궁금한 것도 많고, 신경 쓰고
그랬는데 그런 감정이 모두 헛되게 느껴졌다.

3. 아플 때 신경써준 모든 지인과 친구들에게 감사하는 마음은 물론 크다. 아플 때 제일 서러운데 친구들 덕분에 이겨 낼 수 있었다. 나도 누가 아플 땐 꼭 도움을 주리라.

4. 건강이 최고다. 진심 건강 최고. 면역력 완전 소중.

3년 일기

7년째 작성하고 있는 3년 일기장. 매년 같은 날짜에 어떤 일이 있었는지 짧게 작성하는 일기장이다. 3년 일기장의 장점은, 1년 전에 했던 고민을 1년 뒤에 읽으면 별 일 아니었다는 것을 알게 된다는 것이다.
2021년~2023년에 작성한 일기장을 읽어보니 세월의 흐름이 재미있어 이곳에 옮겨본다.

[1월]
2021년 1월 26일
강릉문화원에 이력서 쓰는데 내가 봐도 엉망진창이다. 나의 수려한 문장력을 실시간으로 감상하고 싶다면 채용하라고요. 아니면 말고 뭐. 취업이 될 때까지 버티자. 일상은 소소하게 행복하자.
#결국 서류 광탈. 아니면 말고. 흥.

2022년 1월 26일
엘지 에너지솔루션 공모주로 20만원을 벌었다. 기뻐서 한 잔 했다. 야호 #내 인생 공모주 최대의 업적.

2023년 1월 26일
nothing. 미래를 생각하니 심란해서 밤에 잠이 안 온다. #토닥토닥

[2월]
2021년 2월 1일
동해에 다녀왔다. 기차타고 휙- 하고 다녀왔다. 장칼국수도 먹고, 바다 앞 카페도 가고. 집에 올 때는 유명한 계란김밥도 사왔다. 동해 자체는 시골이라 큰 볼거리는 없었지만, 슴슴하게 재밌었다. 또 가볼까? #그 후로도 한 번 더 놀러갔었다. 심심한데 재밌는 동네.

2022년 2월 1일
2월은 전시회를 많이 보러가기로 결정. 천천히 감상하기 위해서 그림 볼 때는 혼자 가는 것이 더 좋다.
#한창 전시회 관람 다니던 시절.

2023년 2월 1일
광장시장에 가서 잡채 김밥을 먹었다. 그냥 그런데..?
#일기에 맨날 먹는 얘기만 적었네.

[3월]
2021년 3월 19일
가루 베이커리에서 앙버터를 사먹었는데 다른 빵이 더 맛있었다. #일기에 진짜 먹는 얘기만!! 초딩이냐.

2022년 3월 19일
아빠가 폐렴으로 입원하시고, 유선 상으로 보호자에게

연명치료 여부를 물었다. 의례적으로 물어보는 것일까? 위독한 것인가? #아빠가 참 오래도 아팠다 싶다.

2023년 3월 19일
내일 체중을 재기 위해서 저녁도 굶었다. 그런데 생리하기 직전이라 무게는 올라갔네. 억울하다. 매일 밤 배고픈데. #다이어터 시절의 눈물 젖은 일기

[4월]
2021년 4월 26일
중랑천을 걷고 저녁으로 감자탕에 소주 반병을 마셨다. 국밥에 소주라니. 어른이 된 것 같잖아. #걷기만 하고 집에 와서 자렴. 인간아.

2022년 4월 26일
불현 듯 방콕에 너무 너무 가고 싶다. 얼른 로또가 되면 좋겠다. #노답노답....

2023년 4월 26일
소마미술관에 가서 전시 관람. 작년에 서울 미술관에서 본 근현대미술전이 더 재밌었던 것 같다. 오랜만에 올림픽 공원 오니까 너무 좋다. #올공 최고!

[5월]

2021년 5월 10일
카인드 짐에 등록해서 운동도 열심히 하자! 아자아자! 죠스 떡볶이에서 로제 떡볶이를 먹었는데 신전이 더 맛있는 것 같다. #강릉에서 서울로 올라와서 백수였던 시절. 그만 먹고 운동해야한다는 생각만 하고, 떡볶이 먹고 있었구나. 너어.

2022년 5월 10일
도곡 ssg 마켓을 구경했다. 수입 참치 캔이 19,900원인 것을 보고 로또가 되서 타워팰리스에 살아도 유지비가 없어서 이사 가야 할 것 같다고 생각했다. 이번에 예매한 선우예권 티켓값이 21,000원이었는데 말이다. 참치 캔과 피아노 리사이틀. 너무 웃긴다. #도곡동쪽 회사를 다니던 시절 ssg 마켓 물가에 깜짝 놀랐던 날.

2023년 5월 10일
JOY언니가 해 준 타이마사지가 매우 감동적. 말은 안 통했지만 90분 동안 교감을 하면서 마사지를 받았다. JOY언니가 sabai sabai라고 말해줬는데 호텔에 돌아와서 찾아보니 '편안하게'라는 뜻이었다. 덕분에 즐겁에 방콕 여행을 마무리했다. 감사합니다. #방콕 여행 갔다가 받은 마사지가 좋아서 JOY라는 분께 3일 동안 예약해서 받았다. sabai sabai

[6월]
2021년 6월 12일
구름속의 죽음, 죽음과의 약속. 죽음이라는 제목의 애거서 크리스티 책 두 권을 읽었던 날. #백수시절 매일 추리소설을 읽었던 나.

2022년 6월 12일
넷플릭스에서 스윗 프랑세즈라는 영화를 봤다. 남자주인공이 푸틴 닮았다는 생각을 했는데, 댓글에도 '핸섬 푸틴' 이라고 적혀있어서 한참을 웃었다. 다들 보는 눈이 똑같구나. 담배피면서 위스키 마시는 모습이 왜 이렇게 멋있는데. 핸섬 푸틴. 유죄인간. #영화 참 재밌었다.

2023년 6월 12일
피곤 해 죽겠지만 운동 다녀왔다. 의지의 화신. YEAH! #다이어트와 운동을 불태우던 시기. 장하다.

[7월]
2021년 7월 30일
첫 월급날. 1년 2개월 만에 받은 월급. 장하다 백수탈출. #아이 러브 머니

2022년 7월 30일

은영이랑 잠수교집에서 삼겹살 먹었는데 맛도 없는 것이 매우 비쌌다. 심지어 볶음밥이 5천원!? 대 분노. 올해의 돈 낭비 1위다. #그 후로 다신 가지 않았음.

2023년 7월 30일
영화 바비를 봤는데 그냥 그랬다. hmm... #작년은 고기가, 이때는 영화가. hmm...

[8월]
2021년 8월 6일
갖고 싶었던 검정 볼펜이 있었는데 무슨 연유인지 출근했더니 내 책상위에 바로 그 볼펜이 놓여있었다. 누가 두고 갔을까? 하여간 감사감사. #시크릿의 힘인가 싶었던 볼펜.

2022년 8월 6일
귀에 피어싱을 제거했다. 너무 아파서 참을 수가 없었다. 세 번을 도전해도 안 되는 것을 보니 체질상 안 되나보다. 아픈데 무리 할 필요는 없지. #귀만 뚫으면 어쩜 그렇게 트러블이 나는지 몰라.

2023년 8월 6일
은영이랑 현대 아울렛에서 쇼핑. 오랜만에 아울렛에 오니까 재밌네. 분기별로 쇼핑하러 와야겠다. #라코스테

가서 피케티 사고 싶다.

[9월]
2021년 9월 26일
광화문, 경복궁 주변에서 따릉이를 탔다. 마시고 싶던 카푸치노도 두 잔이나 마시고, 바람도 살랑살랑. 풍림 스페이스 본에서 사는 사람이 제일 부럽다. #광화문과 안국 지역을 사랑하는 나.

2022년 9월 26일
도로주행 연수 1일차. 내가 왜 면허를 딴다고 했을까. 바보. 나는 바보로소이다. 강아지로 태어났다면 면허도 필요 없을 텐데. 4시간 동안 너무 스트레스 받고 긴장해서 토 할 것 같았다. #너무 힘들었던 도로 주행연수. 4시간 더 추가해서, 10시간 교육 받고 면허는 한 번에 따기는 했다. 그리고 나는 지금까지 장롱면허.

2023년 9월 26일
YOGA FIRE! 요가 너무 재밌어. #1년이 지난 지금도 잘은 못하지만, 그래도 요가 너무 좋아ing

[10월]
2021년 10월 24일
듄에 미쳐서 영화관에서 2번을 보고, 유튜브 영화채널

해설을 매일 찾아보고 있다. 행복한 덕질 생활중. 티모시 너는 정말 천사같이 생겼구나. 너 한번 사랑한다.
#듄1은 결국 영화관에서 4차 관람.

2022년 10월 24일
집 근처 병원에서 독감주사를 25,000원에 맞았다. 코로나도 독감도 다 근처에도 오지 말거라. 간호사님이 너무 친절하셔서 주사도 덜 아팠던 것 같은 기분. 귀여운 선물을 준다면서, 뽀로로 반창고를 붙여주셨다.
#독감에 안 걸리고 잘 넘어갔던 22년 겨울.

2023년 10월 24일
YOGA FIRE. 어제 어깨 운동을 한다고 머신에서 깔짝거리다가 팔이 쑥 빠졌는데 그때 다친 것 같다. 요가시간에 다운 독 자세를 하려는데 불같은 통증이 일었다. 한의원 가봐야지. #결국 이 어깨통증은 24년 4월까지 은은하게 지속되었다. 자나 깨나 관절조심.

[11월]
2021년 11월 2일
나에게 주는 생일선물로 제주도 스누피 가든에 왔다. 서울에 와서 취업하고, 열심히 살고 있는 장한 보돌이. 앞으로도 하고 싶은 일, 가고 싶은 곳 다 가면서 살자.
#연차내고 혼자 갔던 생일맞이 제주도 여행. 다음에는

남친이랑 가야지. 희희.

2022년 11월 2일
혜정이가 파크하얏트 코너스톤에서 점심을 사줘서 맛있게 먹었다. 고마워라. 저녁에는 수진, 지은이랑 리북집. 케이크도 준비 해 줘서 촛불 끄면서 사진도 찍었다. 행복하다. #생일이라고 점심, 저녁 두 탕 뛰었네.

2023년 11월 2일
출근 전에 아침부터 미역국에 불고기까지 해서 한 상 차려먹고 나왔다. 내 생일 내가 챙겨야지. 암. 나는 소중하니까. 저녁에는 매봉역가서 수진이, 지은이랑 2년 연속 생일파티. 다이어터로서 오븐 치킨을 먹고, 할리스가서 조각 케이크 먹으면서 생일 노래를 불렀다. 신난다. #2년 연속 생일 파티를 함께 해 준 전 직장 동생들. 감사하모니카.

2021년 11월 4일
피곤해서 집에서 deep sleep. 일어나자마자 베개를 빨아야 할 것 같아서 세탁기 돌리고, 이불도 빨고 바빴다. 가지, 오이, 양배추, 귤, 깻잎, 마늘. 총 14,000원어치 장보기. 귤은 역시 과일트럭 아저씨한테 사는 것이 맛있는 것 같다. #부지런도하구나 우리 보돌이.

2022년 11월 4일
스쿼시 첫 수업 날. 집에 오니까 다리가 당겨서 기절할 뻔 했다. 그래도 새로운 일에 도전 한다는 것은 즐거운 일. 선생님도 생각보다는 잘 친다고 칭찬을 해 주셨다. 칭찬 아닌 것 같기도 하고? 하여간에 재밌네.
#이로부터 3주 뒤에 무릎 부상으로 스쿼시 수강 종료. 흑흑.

2023년 11월 4일
혜정이가 JUE에서 점심을 사줬다. 작년에 이어 올해도 맛있고 멋있는 곳에 데려가 주는 멋진 동생. 성공해서 맨날 비싸고 맛있는 것만 먹고 싶다는 초딩적인 꿈을 가져봤다. 석촌 호수에서 생일 기념사진도 찍고, 윤정이가 준 상품권으로 롯데에 가서 반스 핑크색 운동화도 사고, 위커 파크에서 커피도 마셨던, 아주 즐거웠던 토요일. #생일 주간을 함께 해주는 친구들이 있어서 행복합니다.

[12월]
2021년 12월 27일
스파이더맨을 영화관에 가서 봤다. 재밌네. #무미건조한 영화평

2022년 12월 27일

성미언니랑 분당에서 점심 냠냠. 언니가 이마트에서 샤인 머스캣과 딸기를 사줘서 집에 들고 왔다. 달고 맛있었다. 약속시간마다 지각을 하지만!! 항상 넘치게 잘해줘서 고마운 우리 곰 언니. 집에서 죽전까지 왕복 4시간 걸리더라. #지각해도 맛있는 것만 사주면 내 마음이 사르르.

2023년 12월 27일

11월 가스비가 86,000원이 나와서 혼절했다. 심지어, 자동이체 신청했던 롯데카드를 해지한 것을 까먹고 있다가, 6개월분 요금이 20만원 넘게 나와서 오열했다. 정신 차리고 살자. #뒷산에 나무 장작 패러 가야 할 판.

<마무리하며>

올해 초에 수줍게 한 다짐. 내 인생을 적은 에세이 쓰기. 4월쯤이면 마무리 되겠지 싶었는데, 4월에 아빠가 돌아가셔서, 5월까지는 아무 것도 하고 싶지 않았다. 그래도, '상반기에는 마무리 해야지. 2/4분기까지는 해내야지.'라는 마음으로 아무와도 계약하지 않은 책을 마무리하게 되었다.

이렇게 내 인생을 전체적으로 돌아 볼 기회가 있었나 싶다. 에세이를 쓰면서, 옛날 사진들을 찾아보고 블로그에 적었던 여행기들을 읽으면서 기록의 소중함을 느꼈다. 많은 것을 느끼고 즐기며 살아왔구나. 인간은 물건보다는 경험에 투자하는 것이 만족감이 더 높다는 기사를 읽었는데, 그렇게 살아 온 것 같아서 뿌듯했다.

인터넷에서 사주팔자를 보다가 나를 잘 설명하는 내용이 있어서 웃었는데

- 측은지심도 있고, 타인을 돌보기를 좋아하나, 결정적인 때에는 한없이 차가워진다.
- 성격이 치밀하고, 꼼꼼하고 집요하지만, 어느 순간에 포기도 잘한다.

어느 순간에 포기하지 않는 습관을 만들고 싶었다. 그 첫 발자국으로 책을 쓰기 시작했다. 누가 나의 인생에 그렇게 관심이 있겠냐 싶다가도, 나도 다양한 에세이를 읽으면서 그들의 삶을 간접체험 해 오지 않았는가. 한 명이라도 재밌게 읽어줬으면 좋겠다. '아니면 말고', 라고 쓰려다가 진심을 말해본다.

"읽어주세요! 제발요!! 4개월 넘게 썼단 말이에요!!!"

생각만 하던 나에게 응원을 해줬던 친구들과 블로그 이웃님들 모두 감사합니다. 특히, 몇몇 블로그 이웃 분들이 비밀 댓글이나 방명록에 적어주셨던 글들이 큰 힘이 되었습니다.

이 작은 시작이 나중에 뭐라도 되면 좋겠다고 생각하면서 첫 번째 책을 마무리 해 보겠습니다.

읽어주셔서 감사합니다.

*이메일: allicering@naver.com
*블로그: https://blog.naver.com/bodol_me